Антон Павлович
ЧЕХОВ
1860 – 1904

Антон
ЧЕХОВ

Чайка

Санкт-Петербург
2010

УДК 882
ББК 84(2Рос-Рус)1
Ч 56

Оформление обложки Валерия Гореликова

Чехов А. П.

Ч 56 Чайка: Пьесы. — СПб.: Азбука, Азбука-Аттикус, 2010. — 288 с.

ISBN 978-5-389-01230-1

Чехов-драматург был и остается известен много больше Чехова-прозаика. По числу постановок, инсценировок, интерпретаций и экранизаций автор «Чайки» не уступает ни одному из общепризнанных классиков драматургии. А текст «Чайки» остается больше и глубже любой из ее интерпретаций.

УДК 882
ББК 84(2Рос-Рус)1

ISBN 978-5-389-01230-1

ДРАМА ЧЕХОВА:
«я напишу что-нибудь странное...»

1. ПУТЬ

Снег опять пошел, повалил,
и с присущим бархатным тактом
этот занавес разделил
предпоследний с последним актом.

Я судьбе совершенно покорен,
но, смотря на валящий снег,
я хочу, чтобы был спокоен
этот акт; спокойнее всех.

Слишком в «Гамлете» режут и колют,
мне приятней куда «Три сестры»,
где все просто встают и уходят,
и выходят навек из игры.

Б. Слуцкий

Проза и драма: кто кого?

Чехов-драматург известен много больше Чехова-прозаика. Бывает, в Москве, Петербурге или апрельской Ялте плачут сестры или продают вишневый сад несколько раз в неделю. На родине Шекспира его называют почетным англичанином. На Дальнем Востоке — настоящим японцем, конечно же, за цветущие вишни, так похожие на сакуру. По числу постановок, инсценировок, интерпретаций и экранизаций автор «Чайки», наверное, не уступает в двадцатом веке автору «Гамлета».

С другой стороны, уже современники Чехова в восприятии его пьес разделились на два лагеря. Фанатические поклонники постановок Художественного театра, ставшего уже в начале века Домом Чехова (как Малый театр был Домом Островского), наталкивались на вежливое равнодушие или откровенную неприязнь часто очень близких и весьма расположенных к Чехову-прозаику людей.

«Чехов — несомненный талант, но пьесы его плохие. В них не решаются вопросы, нет содержания», — не раз повторял в беседах Л. Толстой[1]. Самому автору он немного подслащивал горькую пилюлю: «Вы знаете, я терпеть не могу Шекспира, но ваши пьесы еще хуже»[2]. Все-таки несколько приятнее быть хуже Шекспира, а не какого-нибудь драмодела 1890-х годов.

И. Бунин, составлявший длинный список любимых чеховских рассказов, с удовольствием пересказывал толстовские суждения, потому что сам думал сходно. Чехов-прозаик и Чехов-драматург находились для него в разных измерениях: «Пьесы его далеко не лучшее из написанного им...»[3] Бунин считал, что славу чеховским пьесам принесла лишь их постановка в Художественном театре.

Драматургия — искусство особое. В старых поэтиках (от Аристотеля до Гегеля с Белинским) драма объявлялась вершиной словесного искусства. «Драматическая поэзия есть высшая ступень развития поэзии и венец искусства...»[4]

«У них там считается за искусство только театральная пьеса. Роман, даже новелла — не более чем мазня, — обижался на энтузиастов драматургии через четыре года после смерти Чехова Томас Манн, знаменитый (в будущем) немецкий романист. — Некий театральный критик однажды заявил в статье, что если взять повествовательную фразу: „Розалия встала, расправила платье и сказала: «Прощай!»“ — то, строго го-

---

[1] Литературное наследство. Т. 90. Кн. 1. М., 1979. С. 472.

[2] Л. Н. Толстой в воспоминаниях современников: В 2 т. Т. 1. М., 1960. С. 534.

[3] *Бунин И. А.* Собрание сочинений: В 6 т. Т. 6. М., 1988. С. 197.

[4] *Белинский В. Г.* Собрание сочинений: В 9 т. Т. 3. М., 1978. С. 341.

воря, искусством здесь следует считать только слово „прощай“. Он повторил: „Строго говоря“»[1]. «Утверждение относительно Розалии и ее возгласа „Прощай!“ есть величайшая нелепость, когда-либо напечатанная черным по белому», — комментировал Манн, кажется никогда не сочинявший пьес[2].

В двадцатом веке многое изменилось. С появлением и утверждением режиссерского театра драма как текст во многом потеряла свое значение. Драматург живет, пока его играют на сцене. Драма умирает в спектакле. Читают же (если читают вообще) главным образом романы и новеллы.

И только немногие драматурги — наверное, они и называются классиками — оказываются двуликими янусами, кентаврами. Их пьесы необходимо не только видеть на сцене, но — читать. В этом случае обнаруживается, что драма — не сценический полуфабрикат (театральные критики шутят, что современный режиссер может поставить даже телефонную книгу), а полноценный литературный род, «высшая ступень развития поэзии».

Текст «Чайки» больше и глубже любой из ее интерпретаций.

Первая драма: что и как?

Чехов-писатель начинается как раз с драматургии. Еще в гимназии он берется сочинять большую идейную драму о русском Гамлете, Михаиле Васильевиче Платонове, который мечтал о карьере Байрона или Христофора Колумба, но даже не окончил университет, стал сельским учителем, надорвался, запутался в своих отношениях с женщинами и в конце концов погиб от руки одной из четырех влюбленных в него дам.

---

[1] *Манн Т.* Собрание сочинений: В 10 т. Т. 9. М., 1960. С. 380.
[2] Там же. С. 389.

В пьесе было двадцать названных по имени персонажей плюс гости и прислуга в массовых сценах. Она опиралась на целую библиотеку прочитанных книг. Герои собирались ставить «Гамлета», цитировали Пушкина, Тургенева и Некрасова, вспоминали об Илье Муромце и царе Эдипе. Текст с трудом поместился в одиннадцать самодельных тетрадей — объем в три раза больший, чем у обычной, «нормальной» драмы.

В Москве, во время учебы в университете, пьеса была дописана и показана знаменитой актрисе Малого театра М. Н. Ермоловой (1853—1928). Предложение не было принято: в драме не было подходящей для Ермоловой героической роли. Но, даже если бы она нашлась, пьеса вряд ли была бы поставлена: слишком непохожа она оказалась на привычную театральную продукцию начала 1880-х годов. Так начинается конфликт Чехова с современным театром, который затянется на десятилетия.

Пьеса осталась в чеховском архиве. Она была обнаружена и опубликована только через сорок лет (1923). Первая страница рукописи утеряна, так что никто в мире не знает ее точного заглавия. Ее называют то «Безотцовщиной» (по заголовку, случайно сохранившемуся в письме старшего брата), то «Платоновым» (по имени главного героя), то просто пьесой без названия. Переводчики и режиссеры придумывают свои варианты: «Этот безумец Платонов», «Дикий мед», «Дон Жуан на русский манер», «Неоконченная пьеса для механического пианино».

С драмой на какое-то время было покончено. Чехов начинает сочинять прозу *Антоши Чехонте*. И первые его театральные успехи связаны с пьесами в том же духе.

Странные водевили: хлоп и тру-ла-ла

«Да, водевиль есть вещь, а прочее все гиль», — заявляет грибоедовский Репетилов. Водевиль, «легкая пьеса с занимательной интригой, с песенками-куплетами и танцами»[1], был любимым зрелищем непритязательных театралов. В театре он обычно шел каждый вечер как дополнение к большой драме.

Чеховские одноактные комедии возникают в конце 1880-х годов как бы непроизвольно, случайно. «Вы спрашиваете в письме, что я пишу. После „Степи“ я почти ничего не делал,— сообщает Чехов Я. П. Полонскому 22 февраля 1888 года. — От нечего делать написал пустенький, французистый водевильчик под названием „Медведь“... Ах, если в „Северном вестнике“ (в этом журнале печаталась серьезная «Степь». — *И. С.*) узнают, что я пишу водевили, то меня предадут анафеме. Но что делать, если руки чешутся и хочется учинить какое-нибудь тру-ла-ла!»[2]

Чеховские «тру-ла-ла» непохожи на привычные водевильные образцы. В них нет куплетов и танцев (хотя в современных постановках они иногда органично включаются в спектакль). Водевильные маски героя-любовника, тоскующей вдовы, молодой девушки на выданье дополняются бытовыми деталями, перерастают в характеры. Но при этом сохраняются словесные каламбуры, нелепые фамилии, динамика живого, упругого, как пружина, действия, которое все время балансирует на грани вероятного и невероятного.

«Свадьба» — в большей степени водевиль разговоров, напоминающий некоторые сцены «Платонова». Нелепые рассказы, замечательно придуманные афоризмы («Дайте мне атмосферы», «Позвольте вам выйти вон», «С кашей съем») создают образ самодовольной, воинствующей, торжествующей пошлости. Глотком свежего воздуха выглядят в этой атмосфере зычные ко-

---

[1] Литературный энциклопедический словарь. М., 1987. С. 66.

[2] *Чехов А. П.* Полное собрание сочинений и писем: В 30 т. Письма. Т. 2. М., 1975. С. 206. Далее ссылки на это издание даются в тексте с указанием тома и страницы, письма обозначаются — П.

манды приглашенного «генерала» Ревунова-Караулова (фамилия-подсказка), в которых — воспоминания о морской службе, о молодости, о счастье.

Его последние слова: «Где дверь? В какую сторону идти? Человек, выведи меня! Человек!.. Какая низость! Какая гадость!» — приобретают символический характер. Но оскорбления, низости и гадости никто не замечает: ревет музыка, кокетничают Змеюкина и Ять, старается перекричать всех гостей шафер. «Ну стоит ли говорить о таких пустяках? Велика важность! Тут все радуются, а вы черт знает о чем...» — говорит Нюнин не только об украденных двадцати пяти рублях, но и обо всем, что произошло только что.

В «Медведе» и «Предложении» Чехов дает (создает) своим героям иную атмосферу. В основе этих водевилей — ситуации-перевертыши. Смирнов приезжает получать долги, возмущается, ругается, стреляется, но в итоге смертельно влюбляется в красивую вдову. Ломов приезжает делать предложение, но насмерть ссорится со своей избранницей то по поводу размежевания, то по поводу собачьих достоинств.

Но кончается все по-водевильному счастливо: соединением влюбленных, свадьбой в перспективе.

«Чубуков. Ну, начинается семейное счастье!.. *(Стараясь перекричать.)* Шампанского! Шампанского!» («Предложение»).

«Шафер *(стараясь перекричать)*. Милостивые государи и милостивые государыни! В сегодняшний, так сказать, день...» («Свадьба»).

Совпадение финалов напоминает об опасностях, ожидающих впереди милых и симпатичных чеховских персонажей.

Чехов, как мы видели, насмешливо относился к своим водевилям (как и вообще критически отзывался о большинстве своих произведений). Но тем не менее постоянно обращался к этому жанру. Даже после «Вишневого сада» он собирался сочинить «водевиль хороший». Философия водевиля (все в конце концов будет хорошо) позволяла ненадолго, на миг позабыть обступающие «серьезных» чеховских героев мучительные вопросы. Но такой миг — непродолжителен.

В чеховских планах водевиль становился жанром, уже совершенно не похожим на обязательную свадьбу в финале или в перспективе. Т. Л. Щепкина-Куперник вспоминала: «Помню — раз как-то мы возвращались в усадьбу после долгой прогулки. Нас застиг дождь, и мы пережидали его в пустой риге. Чехов, держа мокрый зонтик, сказал:

— Вот бы надо написать такой водевиль: пережидают двое дождь в пустой риге, шутят, смеются, сушат зонты, в любви объясняются — потом дождь проходит, солнце — и вдруг он умирает от разрыва сердца!

— Бог с вами! — изумилась я. — Какой же это будет водевиль?

— А зато жизненно. Разве так не бывает? Вот шутим, смеемся и вдруг — хлоп! Конец!

Конечно, он этого „водевиля" не написал»[1].

Персонажи ненаписанных водевилей попадали, однако, в большие чеховские драмы, превращаясь там в фигуры драматические (Телегин в «Дяде Ване», Епиходов и Шарлотта в «Вишневом саде»). Водевиль — это драма, в которой конфликт благополучно разрешается. Водевильные герои в чеховских пьесах — это люди с неразрешимой судьбой. Только у Чехова «комедия» может кончиться смертью или самоубийством. «Разве так не бывает?»

Русский Гамлет: два Иванова

«Иванова» Чехов писал дважды. Первая редакция (1887) была «комедией в четырех действиях», вторая —

[1] А. П. Чехов в воспоминаниях современников. М., 1986. С. 244.

превратилась в «драму». Различие в судьбе главного героя оказалось в том, что Иванов-комедийный внезапно умирал от нанесенного ему оскорбления, а Иванов-драматический стреляет в себя.

Герой с самой распространенной русской фамилией — несомненный родственник Платонова, новый, более совершенный вариант «Гамлета на русский манер». Совсем недавно он был полон сил, много работал, боролся за справедливость, влюблялся, шел против течения жизни. И вдруг что-то произошло. «Вероятно, я страшно виноват, но мысли мои перепутались, душа скована какою-то ленью, и я не в силах понимать себя. Не понимаю ни людей, ни себя...» Даже страдания умирающей жены оставляют Иванова равнодушным.

Герой не любуется своим разочарованием и усталостью, а боится, пугается его. «Я умираю от стыда при мысли, что я, здоровый, сильный человек, обратился не то в Гамлета, не то в Манфреда, не то в лишние люди... сам черт не разберет! Есть жалкие люди, которым льстит, когда их называют Гамлетами или лишними, но для меня это — позор! Это возмущает мою гордость, стыд гнетет меня, и я страдаю...»

Различие между Ивановым и окружающими его людьми заключается в том, что те, другие, *все понимают*.

Каждый из персонажей драмы словно сочиняет свою пьесу: играет какую-то роль и надевает на Иванова простую, понятную маску. Суетливый бездельник и прожектер Боркин видит в нем ловкого пройдоху, прямолинейный фанатик Львов — лицемерного мерзавца, «идейная девушка» Саша — временно уставшего «нового человека». «Черный ящик» для себя, герой вроде бы абсолютно прозрачен и понятен для других.

Исходя из своих ролей и сложившихся представлений, люди мучают друг друга, не умея и не желая понять, что же происходит с Ивановым на самом деле.

Проблема всеобщего непонимания, некоммуникабельности — одна из главных, ключевых для Чехова.

Еще в 1883 году, в письме старшему брату, Чехов говорил о «скверной, подлой болезни»: «Люди одного лагеря не хотят понять друг друга» (П 1, 58).

«Вы, Жорж, образованны и умны и, кажется, должны понимать, что мир погибнет не от разбойников и не от воров, а от скрытой ненависти, от вражды между хорошими людьми, от всех этих мелких дрязг, которых не видят люди, называющие наш дом гнездом интеллигенции», — скажет героиня комедии «Леший», позднее превратившейся в «Дядю Ваню».

Практически каждому герою «Иванова» дано мгновение, момент истины, когда привычная маска вдруг спадает и за ней появляется искаженное страданием человеческое лицо. Граф Шабельский мечтает поехать на могилу жены, Бабакина жалуется на свое одиночество, Саша осознает, что взятая на себя роль спасительницы Иванова фальшива и невыполнима. Ее всем угождающий отец произносит: «Замучили!» Но потом нелепая пьеса, комедия жизни, катится дальше.

И лишь Иванов живет с ощущением постоянного неблагополучия. Все его поступки, даже самые жестокие (ссора с женой в конце третьего действия, когда звучат страшные в своей правдивости слова: «Так знай же, что ты... скоро умрешь...»), вызваны этим душевным надрывом, мучительным непониманием, болезнью воли.

В письме-комментарии к «Иванову» Чехов пытался описать эту скверную болезнь на языке психологии и физиологии, перечисляя ивановских врагов: утомление, скука, неопределенное чувство вины, одиночество. «Теперь пятый враг. Иванов утомлен, не понимает себя, но жизни нет до этого никакого дела. Она предъявляет к нему свои законные требования, и он, хочешь не хочешь, должен решать вопросы... Такие люди, как Иванов, не решают вопросов, а падают под их тяжестью» (П 3, 111).

Единственное, на что хватает воли героя, — осознать безвыходность своего положения и поставить «точку пули» в конце. «Куда там пойдем? Постой, я сейчас все это кончу! Проснулась во мне молодость, заговорил прежний Иванов!.. Долго катил вниз по наклону, теперь стой! Пора и честь знать!.. Оставьте меня! *(Отбегает в сторону и застреливается.)*».

Начиная с первой пьесы Чехов любит повторяющиеся детали, лейтмотивы. В первой же ремарке, только появляясь на сцене, Боркин прицеливается в лицо Иванова. Это была репетиция финального выстрела.

После «Иванова» Чехов сочиняет еще несколько водевилей, комедию «Леший», но следующей важной, принципиальной для него пьесой станет еще одна комедия с самоубийством — «Чайка».

Странная комедия: верую — не верую

«Можете себе представить, пишу пьесу, — сообщает Чехов Суворину 21 октября 1895 года. — Пишу ее не без удовольствия, хотя страшно вру против условий сцены. Комедия, три женских роли, шесть мужских, четыре акта, пейзаж (вид на озеро); много разговоров о литературе, мало действия, пять пудов любви» (П 6, 85).

«Формула» собственной пьесы выведена изящно и точно. На фоне «колдовского озера» с восходящей луной ставится и проваливается пьеса Треплева. На другом берегу живет Нина. Тригорин ловит в нем рыбу. Над ним летала убитая чайка. В четвертом действии по озеру ходят громадные волны и стоит на берегу «голый, безобразный как скелет» театр, в котором плачет вернувшаяся на руины Чайка—Заречная.

«Озеро» в «Чайке» — важный художественный символ, связывающий и проявляющий судьбы героев. Сходную функцию будет выполнять «сад» в «Вишневом саде».

«Пять пудов любви» в чеховской комедии — это любовь драматическая, безответная, несчастливая. Треплев любит Нину, Нина — Тригорина, Маша — Треплева, Медведенко — Машу, Полина Андреевна — Дорна, Аркадина — Тригорина. Маша мечтает «вырвать любовь из своего сердца». Тригорин легко забывает о брошенной Нине Заречной. Дорн говорит Полине Андреевне «поздно». Сеть безнадежностей опутывает героев. Вполне довольна и счастлива только самодовольная Аркадина, которая любит себя в искусстве и играет со «знаменитым беллетристом» в жизни хорошо затверженную роль.

Треплев и Тригорин оказываются в чеховской комедии соперниками не только в любви, но и в искусстве. «Разговоры о литературе» превращаются в отдельных сценах «Чайки» в своеобразный эстетический трактат о разных типах художников.

Тригорин — рационалист, подчиняющийся требованиям долга: «День и ночь одолевает меня одна неотвязчивая мысль: я должен писать, я должен писать, я должен...» Он жалуется на постоянную тяжесть литературной работы («чугунное ядро» сюжета), занят изнурительной, беспрерывной наблюдательностью («ловлю себя и вас на каждой фразе, на каждом слове и спешу скорее запереть все эти фразы и слова в свою литературную кладовую: авось пригодится!»).

Треплев, напротив, творит по вдохновению («Вы презираете мое вдохновение...» — говорит он Нине после провала пьесы). Он считает, что настоящее искусство возникает, когда «человек пишет, не думая ни о каких формах пишет, потому что это свободно льется из его души». Треплев — поэт, хотя сочиняет рассказы и пьесы.

По характеру творческого процесса Треплев и Тригорин — чеховские Моцарт и Сальери, перенесенные в иную эпоху и заставляющие вспомнить не о реальных композиторах, а о пушкинской маленькой трагедии.

С точки зрения поэтики Тригорин представлен в «Чайке» художником-импрессионистом, мастером точной детали (горлышко бутылки на плотине; облако, похожее на рояль) и «сюжетов для небольшого рассказа».

Треплев же проделывает в пьесе примечательную эволюцию. Пьеса о «мировой душе» напоминает (что не раз отмечалось литературоведами) старые романтические драмы и одновременно только зарождающиеся символистские. Штампы его прозы, вроде «афиша на заборе гласила...», обнаруживают в нем рядового беллетриста конца века. Новое же начало, которое он придумывает для рассказа незадолго до самоубийства («Начну с того, как героя разбудил шум дождя...»), неожиданно сближает его поэтику с художественной манерой Тригорина: так вполне мог начинаться сюжет для небольшого рассказа о погубленной девушке-чайке.

Чеховскую эстетическую позицию по отношению к героям-сочинителям можно определить как синтезирующую. И тригоринские, и треплевские приемы используются в его творчестве, становятся конкретными изобразительными аспектами его художественного мира.

Точка принципиального расхождения обнаруживается, однако, в сфере этики. Тригорин использует жизнь как материал для сочинительства, он играет и жертвует чужими судьбами. Реальность, ставшая литературой, исчезает из его памяти. «Не помню... Не помню!» — говорит он не только о заказанном чучеле чайки, но и о судьбе Нины Заречной.

Треплев строит жизнь по законам искусства и платит за свои неудачи и разочарования только собственной судьбой.

Финал четвертого действия строится на любимом чеховском приеме контрапункта — смысловых сопоставлений и противопоставлений. Появляется в комнате Треплева Нина («Я — чайка...»), а человек, сыгравший роковую роль в ее жизни, равнодушно смотрит на чучело чайки («Не помню...»). Но она — вопреки очевидности — все так же любит этого человека, превратившего ее жизнь в сюжет для небольшого и уже забытого рассказа.

Мать спокойно играет в лото, в то время как за стеной звучит тихий выстрел, похожий на звук лопнувшей склянки с эфиром.

«Пусть на сцене все будет так же сложно и так же вместе с тем просто, как в жизни, — говорил Чехов одному из собеседников-журналистов. — Люди обедают, только обедают, а в это время слагается их счастье и разбиваются их жизни...» [1]

Младшее поколение людей искусства оказывается в «Чайке» проигравшим. Не потому, что Треплев и Нина менее талантливы. Просто они меньше приспособлены к жизни: ранимы, неуверенны, простодушны.

Но противопоставление, контраст важны для Чехова и здесь. Треплев повторяет судьбу Иванова. Мучительно ощутив жизненную катастрофу, он видит выход только в смерти. Нина после всех трагедий находит силы жить дальше.

«Я теперь знаю, понимаю, Костя, что в нашем деле — все равно, играем мы на сцене или пишем — главное не слава, не блеск, не то, о чем я мечтала, а уменье терпеть. Умей нести свой крест и веруй. Я верую, и мне не так больно, и когда я думаю о своем призвании, то не боюсь жизни».

На это Треплев печально отвечает: «Вы нашли свою дорогу, вы знаете, куда идете, а я все еще ношусь в хаосе грез и образов, не зная, для чего и кому это нужно. Я не верую и не знаю, в чем мое призвание».

Я верую — я не верую. Речь идет не о религиозной вере, а о какой-то идее, деле, призвании (им может стать и религия), придающем жизни смысл. В чеховской записной книжке различие между героями было подчеркнуто еще более: «Треплев не имеет определенных целей, и это его погубило. Талант его погубил. Он

---

[1] А. П. Чехов о литературе. М., 1955. С. 301.

говорит Нине в финале: „Вы нашли дорогу, вы спасены, а я погиб“».

Люди, переживающие крушение жизненных надежд, становятся героями «Дяди Вани» и «Трех сестер». В унисон со словами Нины Заречной «Умей нести свой крест и веруй» звучит монолог Сони «Я верую горячо, страстно...» и заклинание сестер Прозоровых «Будем жить... Если бы знать...».

Чеховские «драмы настроения» эхом отражаются друг в друге. Главные темы и мотивы чеховской драматургии еще раз проигрываются и проясняются в его последней пьесе.

2. СМЕХ И СЛЕЗЫ В ВИШНЕВОМ САДУ

Когда погребают эпоху,
Надгробный псалом не звучит,
Крапиве, чертополоху
Украсить ее предстоит.
И только могильщики лихо
Работают. Дело не ждет!
И тихо, так, Господи, тихо,
Что слышно, как время идет.

А. Ахматова

Сон происходит в минувшем веке.
Звук этот слышится век назад.
Ходят веселые дровосеки,
рубят,
рубят
вишневый сад.

Ю. Левитанский

Первые оценки: старое и новое

«Вишневый сад» стал чеховским завещанием. За восемь месяцев до приближающейся смерти он пошлет пьесу в МХТ, за полгода — будет присутствовать на ее премьере, за месяц, накануне отъезда в Баденвейлер, — выйдет ее отдельное издание.

Этапы на пути драмы к зрителю и читателю сопровождались привычным разноречием критики, осведомленных и неосведомленных современников. Не останавливаясь на деталях этой полемики, отметим границы первоначального диалога, границы очень широкие и весьма неожиданные.

Чехов — О. Л. Книппер, 27 сентября 1903 года: «...Пьеса кончена... написаны все четыре акта. Я уже переписываю. Люди у меня вышли живые, это правда, но какова сама по себе пьеса, не знаю» (П 11, 257).

Н. К. Гарин-Михайловский — А. И. Иванчину-Писареву, 5 октября 1903 года: «Познакомился и полюбил Чехова. Плох он. И догорает, как самый чудный день осени. Нежные, тонкие, едва уловимые тона. Прекрасный день, ласка, покой, и дремлет в нем море, горы, и вечным кажется это мгновение с чудным узором дали. А завтра... Он знает свое завтра и рад, и удовлетворен, что кончил свою драму „Сад вишневый“»[1].

К. С. Станиславский, сразу после прочтения, не утерпев, 20 октября 1903 года шлет Чехову телеграмму (аналитическое письмо с обоснованием восторгов будет написано через два дня): «Потрясен, не могу опомниться. Нахожусь в небывалом восторге. Считаю пьесу лучшей из всего прекрасного, Вами написанного. Сердечно поздравляю гениального автора. Чувствую, ценю каждое слово»[2].

В это же время с пьесой знакомится Горький. Он пишет К. П. Пятницкому 20—21 октября 1903 года: «Слушал пьесу Чехова — в чтении она не производит впечатления крупной вещи. Нового — ни слова. Все — настроения, идеи, — если можно говорить о них — ли-

---

[1] Литературный архив. Вып. 5. М.; Л., 1960. С. 49—50.

[2] *Станиславский К. С.* Полн. собр. соч.: В 8 т. Т. 7. М., 1960. С. 265.

ца,— все это уже было в его пьесах. Конечно — красиво, и — разумеется — со сцены повеет на публику зеленой тоской. А о чем тоска — не знаю»[1].

И этот жесткий отзыв из частного письма словно подхватывает В. Г. Короленко, рецензируя сборник «Знания», где была напечатана пьеса после смерти Чехова, в августе 1904 года: «„Вишневый сад“ покойного Чехова вызвал уже целую литературу. На этот раз свою тоску он приурочил к старому мотиву — дворянской беспечности и дворянского разорения, и потому впечатление от пьесы значительно слабее, чем от других чеховских драм, не говоря о рассказах... И не странно ли, что теперь, когда целое поколение успело родиться и умереть после катастрофы, разразившейся над тенистыми садами, уютными парками и задумчивыми аллеями, нас вдруг опять приглашают вздыхать о тенях прошлого, когда-то наполнявших это нынешнее запустение... Право, нам нужно экономить наши вздохи»[2].

Сегодня легко говорить об односторонности оценок больших писателей и тонких критиков, бесконечно симпатизировавших Чехову. «Вишневый сад» стал одной из самых репертуарных пьес мировой драматургии. Пьеса признана шедевром, все возможные эпитеты по отношению к ней, кажется, употреблены и не кажутся преувеличенными.

«Классической является та книга, которую некий народ или группа народов на протяжении долгого времени решают читать так, как если бы на ее страницах все было продуманно, неизбежно, глубоко, как космос, и допускало бесчисленные толкования» (Х. Л. Борхес).

Если сто лет счесть *долгим временем*, чеховская драма, безусловно, стала классической. Недостатка в бесчисленных толкованиях она тоже не испытывает. Тем не менее юбилейная публикация статей и заметок в

---

[1] *Горький М.* Полн. собр. соч.: В 30 т. Т. 28. М., 1954. С. 291.
[2] В. Г. Короленко о литературе. М., 1957. С. 376–377.

журнале «Театр» сопровождалась привычной общей шапкой: «Загадки „Вишневого сада“»[1].

Одна из главных загадок чеховской пьесы — особого рода: загадка простоты, общепонятности, очевидности, которая и провоцирует мысль о «старых мотивах».

Герои: типы и исключения

На первый взгляд Чехов написал едва ли не пособие по русской истории конца XIX века. В пьесе есть три лагеря, три социальные группы: безалаберные, разоряющиеся дворяне, прежние хозяева имения и вишневого сада; предприимчивый, деловой купец, покупающий это имение и вырубающий сад, чтобы построить на этом месте доходные дачи; ничего не имеющий «вечный студент» Петя Трофимов, который спорит со старыми и новым владельцами и верит в будущее: «Вся Россия — наш сад».

Именно так понял конфликт пьесы В. Г. Короленко, увидев в ней «старые мотивы».

«Главным героем этой последней драмы, ее центром, вызывающим, пожалуй, и наибольшее сочувствие, является вишневый сад, разросшийся когда-то в затишье крепостного права и обреченный теперь на сруб благодаря неряшливой распущенности, эгоизму и неприспособленности к жизни эпигонов крепостничества»[2].

И через полвека теоретик драматургии В. Волькенштейн, поменяв эстетическую оценку на противоположную (вместо «старого мотива» появилось: «наиболее яркий образец своеобразного построения чеховской драмы»), смысл драмы сформулировал примерно в тех же словах: «Чехов изобразил в „Вишневом саде“ поме-

---

[1] См.: Театр. 1985. № 1. С. 170—187.
[2] В. Г. Короленко о литературе. С. 376.

щичье-дворянское разорение и переход имения в руки купца-предпринимателя»[1].

Суждения такого рода справедливы только в первом приближении. Ибо, отметив лишь более четкую, чем в предшествующих пьесах, расстановку социальных сил (дворяне-помещики — купец-предприниматель — молодое поколение), мы теряем самое главное в специфике чеховских героев и конфликта, оставаясь лишь с «запоздалыми мотивами». Между тем справедливо замечено, что «человек интересует Чехова главным образом не как социальный тип, хотя он изображает людей социально очень точно»[2].

В самом деле, первый парадокс в характеристике персонажей «Вишневого сада» заключается в том, что они не вмещаются в привычные социальные и литературные амплуа, выпадают из них.

Раневская с Гаевым далеко отстоят от тургеневской или толстовской поэзии усадебного быта, но и сатирическая злость, и безнадежность взгляда на героев такого типа, характерные, скажем, для Салтыкова-Щедрина, в пьесе тоже отсутствуют. «Владеть живыми душами — ведь это переродило всех вас, живших раньше и теперь живущих...» — декламирует Трофимов.

Но, боже мой, кем и чем владеют Раневская, тем более вечный младенец Гаев, не способные разобраться даже в собственной душе?

«Я, Ермолай Алексеич, так понимаю: вы богатый человек, будете скоро миллионером. Вот как в смысле обмена веществ нужен хищный зверь, который съедает все, что попадается ему на пути, так и ты нужен», — клеймит тот же Трофимов Лопахина. Но чеховская ли это оценка? Ведь чуть позднее тот же Петя скажет и

---

[1] *Волькенштейн В.* Драматургия. 5-е изд., доп. М., 1969. С. 213.

[2] *Видуэцкая И.П.* Место Чехова в истории русского реализма // Известия АН СССР. Сер. лит. и языка. 1966. Т. XXV, вып. 1. С. 40.

иное: «У тебя тонкие, нежные пальцы, как у артиста, у тебя тонкая, нежная душа...» А в письме Чехов выразится совсем определенно: «Лопахина надо играть не крикуну, не надо, чтобы это непременно был купец. Это мягкий человек» (П 11, 290). Подразумевается: купец не в духе щедринских Колупаевых и Разуваевых, фигура иного плана.

Да и сам Петя Трофимов, «облезлый барин» с его речами о будущем, – как он далек от привычных канонов изображения «нового человека» в любом роде: тургеневском, романистики о «новых людях», горьковском (вроде Нила в «Мещанах»).

Так что внешне в пьесе сталкиваются не социальные типы, а скорее социальные исключения, *живые люди*, как говорил сам Чехов. Индивидуальное в чеховских героях, причуды, капризы характера, кажется, определенно и явно поглощает типическое.

Но — таков второй парадокс «Вишневого сада» — эти герои-исключения в развитии фабулы пьесы разыгрывают предназначенные им историей социальные роли. Н. Я. Берковский заметил о новеллистике Чехова и Мопассана: «Что представляется в ней игрой судьбы, капризом, парадоксом, то при первом же усилии мысли становится для нас созерцанием закона, исполнившегося с избытком... Через эксцентрику мы проталкиваемся к закону и тут узнаем, что она более чем закон, что она закон, подобравший под себя последние исключения»[1].

Так и в «Вишневом саде»: сквозь чудачества и случайности, сквозь паутину слов проступает железный закон социальной необходимости, неслышная поступь истории.

Раневская и Гаев добры, обаятельны и лично невиновны в тех грехах крепостничества, которые приписывает им «вечный студент». И все-таки в кухне людей

---

[1] *Берковский Н. Я.* Литература и театр. М., 1969. С. 56.

кормят горохом, остается умирать в доме «последний из могикан» Фирс, и лакей Яша предстает как омерзительное порождение именно этого быта.

Лопахин — купец с тонкой душой и нежными пальцами. Он рвется, как из смирительной рубашки, из предназначенной ему роли: убеждает, напоминает, уговаривает, дает деньги взаймы. Но, в конце концов, он делает то, что без лишних размышлений и метаний совершали грубые щедринские купцы: становится «топором в руках судьбы», покупает и рубит вишневый сад, «прекраснее которого нет на свете».

Петя Трофимов, который в последнем действии никак не может отыскать старые галоши, похож на древнего философа, рассматривающего звезды над головой, но не заметившего глубокой ямы под ногами. Но именно лысеющий «вечный студент», голодный, бесприютный, полный, однако, «неизъяснимых предчувствий», все-таки увлекает, уводит за собой еще одну невесту, как это было и в последнем чеховском рассказе.

Избегая прямолинейной социальности, Чехов, в конечном счете, подтверждает логику истории. Мир меняется, сад обречен — и ни один добрый купец не способен ничего изменить. На всякого Лопахина найдется свой Дериганов.

Оригинальность характеристики распространяется не только на главных, но и на второстепенных персонажей «Вишневого сада», здесь Чехов тоже совершает литературную революцию.

Персонажи: второстепенные и главные

«Вообще к персонажам первого плана и к персонажам второстепенным, эпизодическим издавна применялись разные методы. В изображении второстепенных лиц писатель обычно традиционнее; он отстает от самого себя», — замечает Л. Я. Гинзбург[1].

Современный прозаик словно продолжает размышления теоретика: «Одних героев автор „лепит"... других „рождает"... как живого человека; одни разрешены „извне", другие — „изнутри"; одни ближе автору, родней, „дороже", другие — дальше, двоюродней... наконец, одни есть, по давно укоренившемуся делению, второстепенные, другие — главные, причем второстепенные — второстепенны не по нагрузке и роли в сюжете, они второстепенны по качеству (в диалектическом понимании), по сравнению с героем „главным". И главный, и второстепенный населяют одно пространство повествования и взаимодействуют как живые люди, то есть, по демократическим идеалам жизни, и тот и другой равноправны. Не равноправны они все по тому же своему происхождению (способу рождения) и по мере нашего, читательского сочувствия, объясняющегося мерой узнавания, выражающегося в олицетворении себя в герое... Что же такое литературный герой в единственном числе — Онегин, Печорин, Обломов, Раскольников, Мышкин?.. Чем он всегда отличен от литературных героев в числе множественном — типажей, характеров, персонажей? В предельном обобщении — родом нашего узнавания. Персонажей мы познаем снаружи, героя — изнутри; в персонаже мы узнаем других, в герое — себя»[2].

Суждения А. Битова точны и глубоки в применении к «дочеховской» традиции. Но кто здесь, в «Вишневом саде», дан «снаружи», а кто «изнутри»? «Снаружи», пожалуй, один лишь Яша. В других случаях художественная «оптика» постоянно меняется. Глубоко прав, на наш взгляд, много ставивший Чехова венгерский режиссер И. Хорваи, сказавший о его «внешне-внутреннем видении»[3].

---

[1] *Гинзбург Л. Я.* О литературном герое. Л., 1979. С. 71.
[2] *Битов А.* Статьи из романа. М., 1986. С. 162—163.
[3] Чеховские чтения в Ялте: Чехов сегодня. М., 1987. С. 36.

Чеховская драма если не отменяет, то необычайно с г л а ж и в а е т границу, существовавшую столетиями, — эстетическую границу между *главным* и *второстепенным* персонажами.

Действительно, об одних персонажах «Вишневого сада» говорится больше, о других — меньше, но разница эта скорее количественная, ибо каждый из них не «персонаж», но — *герой.*

Гоголевский Бобчинский или, скажем, Кудряш Островского не могут оказаться в центре внимания, стать «героями» пьесы, для этого в «Ревизоре» и «Грозе» мало драматического материала. Граница между этими «персонажами» и Хлестаковым, Катериной непреодолима. Напротив, легко представить себе водевиль (но чеховский, далеко не беззаботно смешной!) о Епиходове, сентиментальную драму о Шарлотте, вариацию на тему «все в прошлом», героем которой будет Фирс, «историю любви» (тоже по-чеховски парадоксальную) Вари и Лопахина и т. д. Для таких «пьес в пьесе» (рассуждают же литературоведы о «пьесе Треплева») материала вполне достаточно. Едва ли не каждый персонаж «Вишневого сада» может стать героем, в каждом — при желании — можно узнать себя.

Происходит это потому, что все они, так или иначе, участвуют в основном конфликте драмы. Но смысл этого конфликта иной, более глубокий, чем это казалось современникам.

Конфликт: человек и время

Своеобразие конфликта чеховской драмы глубоко и точно определил в свое время А. П. Скафтымов: «Драматически конфликтные положения у Чехова состоят не в противопоставлении волевой направленности разных сторон, а в объективно вызванных противоречиях, перед которыми индивидуальная воля бессильна...

И каждая пьеса говорит: виноваты не отдельные люди, а всё имеющееся сложение жизни в целом»[1].

Развивая эти идеи, Э. А. Полоцкая и В. Е. Хализев говорят о внутреннем и внешнем действии, внутреннем и внешнем сюжете чеховских рассказов и пьес[2]. Причем необходимо заметить, что и развертываются они по-разному. Если внешний сюжет (в данном случае — борьба вокруг сада и имения) экспонирован достаточно традиционно, фабульным путем, то внутренний — и главный — сюжет «Вишневого сада» именно просвечивает сквозь фабулу, пульсирует, часто вырываясь на поверхность.

Главную роль в его организации играют многочисленные «протекающие темы», лейтмотивы, сопоставления, переклички, образующие прихотливый, но в высшей степени закономерный узор. Не случайно современные литературоведы все чаще пишут не только о повествовательности («пьесы-романы»), но и о лирической, музыкальной структуре чеховских пьес и рассказов.

Действительно, принцип повтора, возвращения так же важен в чеховской драме, как важен он в организации стихотворного текста. Свою постоянную тему имеет едва ли не каждый персонаж. Без конца говорит о своих несчастьях Епиходов, лихорадочно ищет деньги Симеонов-Пищик, трижды упоминает телеграммы из Парижа Раневская, несколько раз обсуждаются отношения Вари и Лопахина, вспоминают детство Гаев и Раневская, Шарлотта и Лопахин. И все о саде, о саде — без конца...

Но главное — герои думают о времени, об уходящей, ускользающей жизни. *Человек в потоке времени* —

---

[1] *Скафтымов А. П.* Нравственные искания русских писателей. М., 1972. С. 426—427.

[2] См.: Развитие реализма в русской литературе: В 3 т. Т. 3. Под ред. У. Р. Фохта. М., 1974. С. 84—92; *Хализев В. Е.* Драма как род литературы. М., 1986. С. 148—161.

так довольно абстрактно, но, кажется, точно можно определить внутренний сюжет «Вишневого сада». В этой пьесе Чехов в последний раз размышляет о том, что делает с человеком время и можно ли как-то противостоять ему, удержаться в нем.

Временными указаниями, ориентирами переполнена пьеса. Вот характерные временные приметы первого действия: на два часа опаздывает поезд; пять лет назад уехала из имения Раневская; о себе, пятнадцатилетнем, вспоминает Лопахин, собираясь в пятом часу ехать в Харьков и вернуться через три недели; он же мечтает о дачнике, который через двадцать лет «размножится до необычайности»; а Фирс вспоминает о далеком прошлом, «лет сорок—пятьдесят назад». И снова Аня вспомнит об отце, который умер шесть лет назад, и маленьком брате, утонувшем через несколько месяцев. А Гаев объявит о себе как о человеке восьмидесятых годов и предложит отметить столетие «многоуважаемого шкапа». И сразу же будет названа роковая дата торгов — двадцать второе августа.

Время разных персонажей имеет разную природу. Оно измеряется минутами, месяцами, годами, то есть имеет разные точки отсчета. Время Фирса почти баснословно, оно все в прошлом и, кажется, не имеет очертаний — «живу давно». Лопахин мыслит сегодняшней точностью часов и минут. Время Трофимова — в будущем, но оно столь же широко и неопределенно, как и прошлое Фирса.

Оказываясь победителями или побежденными во внешнем сюжете, герои чеховской драмы в равной степени останавливаются перед феноменом времени, вдруг — поверх социальных и психологических различий — совпадают в глубинном мироощущении. В самые, казалось бы, неподходящие моменты, посреди бытовых разговоров, случайных реплик и фраз разные герои проборматывают слова о непостижимом феномене жизни. Эти слова — «простые как мычание», в них нет ничего мудреного, никакой особой «философии времени», если подходить к ним с требованиями объективной, драматической логики. Но в них есть другое — глубокая правда лирического состояния, подобная тоже простым пушкинским строчкам:

> Летят за днями дни, и каждый час уносит
> Частичку бытия, а мы с тобой вдвоем
> Предполагаем жить... И глядь — как раз — умрем.

(Какая, кажется, и здесь философия?)

«Да, время идет», — вздохнет в начале первого действия Лопахин, на что Гаев откликнется высокомерно-беспомощным «кого?». Но репликой раньше он сам в сущности говорил о том же: «Когда-то мы с тобой, сестра, спали вот в этой самой комнате, а теперь мне уже пятьдесят один год, как это ни странно...»

Чуть позже старый Фирс скажет о старом способе сушения вишен и в ответ на реплику Раневской: «А где же теперь этот способ?» — тоже вздохнет: «Забыли. Никто не помнит». И кажется, что речь здесь идет не только о вишне, но и о забытом умении жить.

Во втором действии посреди спора о будущем сада Раневская произносит после паузы: «Я все жду чего-то, как будто над нами должен обвалиться дом». И это опять реплика скорее не внешнего, а внутреннего сюжета, продолжение того же общего размышления о времени.

В конце второго действия лихорадочные монологи о будущем декламирует Петя Трофимов.

В третьем действии, даже в высший момент торжества, у Лопахина вдруг вырвется: «О, скорее бы все это прошло, скорее бы изменилась как-нибудь наша нескладная, несчастливая жизнь».

И в четвертом действии он подумает о том же: «Мы друг перед другом нос дерем, а жизнь знай себе проходит». Потом эта мысль мелькнет в голове Симеонова-Пищика: «...Ничего... Всему на этом свете бывает конец...» Потом прозвучат бодрые реплики Трофимова и Ани о новой жизни, прощальные слова Раневской и ключевая, итоговая фраза Фирса: «Жизнь-то прошла, словно и не жил...»

Дружно вспоминая прошлое, апеллируя к будущему, все персонажи «Вишневого сада», кроме удобно устроившегося в этой жизни, постоянно довольного подлеца Яши, уходят, ускользают, не хотят замечать настоящего. И это – главный приговор ему. «О страстях и страданиях персонажей „Вишневого сада“ можно бы сказать, что это пир, устроенный в часы, когда не только чума кончается, но когда и многие из гостей уже неясно догадываются об этом», – тонко заметил Н. Я. Берковский[1].

Жанр: смех и слезы

Последней пьесе Чехов дал жанровый подзаголовок «комедия». Точно так же восемью годами раньше он определил жанр «Чайки». Две другие главные чеховские пьесы определялись автором как «сцены из деревенской жизни» («Дядя Ваня») и просто «драма» («Три сестры»).

Первая чеховская *комедия* оканчивается самоубийством главного героя, Треплева. В «Вишневом саде» никто из героев не погибает, но происходящее тоже далеко от канонов привычной комедии.

«Это не комедия, не фарс, как Вы писали, – это трагедия, какой бы исход к лучшей жизни Вы ни открывали в последнем акте», – убеждал автора К. С. Станиславский[2].

Однако, посмотрев постановку в Московском художественном театре, Чехов все равно не соглашался:

---

[1] *Берковский Н. Я.* Литература и театр. С. 160.

[2] *Станиславский К. С.* Собр. соч. Т. 7. С. 265 (Письмо от 20 октября 1903 г.).

«Почему на афишах и в газетных объявлениях моя пьеса так упорно называется драмой? Немирович и Алексеев (настоящая фамилия Станиславского. – *И. С.*) в моей пьесе видят положительно не то, что я написал, и я готов дать какое угодно слово, что оба они ни разу не прочли внимательно моей пьесы» (П 12, с. 81).

Режиссеры, конечно же, внимательно читали пьесу во время работы над спектаклем. Их спор с автором объяснялся тем, что они понимали жанровое определение *комедия* традиционно, а Чехов придавал ему какой-то особый, индивидуальный смысл.

С привычной точки зрения, несмотря на присутствие комических эпизодов (связанных главным образом с Епиходовым и Симеоновым-Пищиком), «Вишневый сад» далек от канонов классической комедии. Он не встает в один ряд с «Горем от ума» и «Ревизором». Гораздо ближе пьеса к жанру драмы в узком смысле слова, строящейся на свободном сочетании комических и драматических, а иногда и трагических эпизодов.

Но история литературы знает, однако, и другие «комедии», далеко выходящие за пределы комического. Это «Комедия» Данте, получившая определение «Божественной», или «Человеческая комедия» Оноре де Бальзака. Чеховское понимание жанра нуждается в специальной расшифровке, объяснении.

Режиссеры, пытающиеся такое объяснение дать, все время наталкивались на принцип антиномии, противоречия.

«В третьем акте на фоне глупого „топотания“ — вот это „топотание“ нужно услышать — незаметно для людей входит Ужас: „Вишневый сад продан“. Танцуют. „Продан“. Танцуют. И так до конца. Когда читаешь пьесу, третий акт производит такое же впечатление, как тот звон в ушах больного в вашем рассказе „Тиф“. Зуд какой-то. Веселье, в котором слышны звуки смерти. В этом акте что-то метерлинковское, страшное. Сравнил только потому, что бессилен сказать точнее. Вы несравнимы в вашем великом творчестве», — пишет автору В. Мейерхольд 8 мая 1904 года[1].

«Драматургия Чехова. А если все эти настроения, вся эта зализанная матовость медлительных темпов — мнимые. Просто стилизация. Выражение верхнего слоя приемами искусства начала века, любившего замедленность, акварельность, блеклые краски, тихие голоса. Если нет здесь ни элегий, ни рапсодий, а есть чеховская жизнь, чеховская — т. е. прежде всего в своем изображении лишенная красивости, где „осетрина-то с душком“ неминуемо.

Если есть в этих пьесах прежде всего энергия, сила крика: „Так жить нельзя!“ Если три сестры не плаксуче-безвольны, но живут в быстром, стремительном ритме...

Может быть, все дело в том, что поэзия таится, скрытая где-то в глубине, в сути образов, — и она противоположна густопсово-прозаической внешности. И может быть, только в какие-то минуты вдруг этот внутренний слой становится и наружным.

Играть быстро, энергично в среде некрасивой, прозаической. И только в секунды вознестись поэзией, но поэзией не акварельной, а высокой, трагической», — записывает в начале 1950-х годов свои догадки о структуре чеховских пьес Г. Козинцев[2].

Позднее Г. Товстоногов скажет о «стыке трагедийного, комического и обыденного, но... стыке такой резкости и контрастности, о которой мы сейчас, с нашим грузом „чеховских“ традиций, даже и вообразить боимся»[3].

В 1980-е годы эстафету словно подхватывает много ставивший Чехова А. Эфрос, определяющий «Вишне-

---

[1] Литературное наследство. Т. 68. М., 1960. С. 448.

[2] *Козинцев Г.* Собр. соч.: В 5 т. Т. 4. Л., 1984. С. 376–377.

[3] *Товстоногов Г.* Круг мыслей. Л., 1972. С. 133.

вый сад» как «невероятный драматический гротеск»: «Это совсем не традиционный реализм. Тут реплика с репликой так соединяются, так сочетаются разные события, разные пласты жизни, что получается не просто реальная, бытовая картина, а гротескная, иногда фарсовая, иногда предельно трагичная. Вдруг — почти мистика. А рядом — пародия. И все это сплавлено во что-то одно, в понятное всем нам настроение, когда в житейской суете приходится прощаться с чем-то очень дорогим»[1].

Поэтому слишком частным, «терминологическим» представляется спор, ведущийся о жанре «Вишневого сада». Комедия? Лирическая комедия? Трагедия («Для простого человека это трагедия» — Станиславский)? Трагикомедия? Драма (как литературный род, снимающий противопоставление трагического и комического)?

Может быть, проще всего было бы определить «Вишневый сад» как *чеховский жанр*, сочетающий, но более резко, чем в традиционной драме, вечные драматические противоположности — *смех и слезы.*

В. Ермилов в свое время пытался доказать чеховское определение «Вишневого сада» как комедии, рассматривая Епиходова, Шарлотту, Дуняшу, Яшу как пародийные отражения Гаева и Раневской, Гаева и Раневскую — тоже как сатирических по преимуществу, а всю пьесу — как пародию на подлинную трагедию[2].

В самом деле, не говоря уже о Епиходове или Симеонове-Пищике, в характерах которых комизм на поверхности и не нуждается в аналитическом выявлении, — линия поведения Раневской или Гаева выстроена в пьесе таким образом, что часто их искренние переживания, попадая в определенный контекст, иронически снижаются, приобретают неглубокий, «мотыль-

---

[1] *Эфрос А.* Продолжение театрального рассказа. М., 1985. С. 332.

[2] См.: *Ермилов В.* Драматургия Чехова. М., 1954. С. 309—333.

ковый» характер. Взволнованный монолог Раневской в первом действии: «Видит Бог, я люблю родину, люблю нежно, я не могла смотреть из вагона, все плакала», — прерывается резко бытовым, деловитым: «Однако же надо пить кофе». Чехов заботится о том, чтобы не остаться непонятным, ибо во втором действии прием повторяется. Длинный исповедальный монолог героини («О, мои грехи...») завершается таким образом:

Любовь Андреевна. И потянуло вдруг в Россию, на родину, к девочке моей... *(Утирает слезы.)* Господи, Господи, будь милостив, прости мне грехи мои! Не наказывай меня больше! *(Достает из кармана телеграмму.)* Получила сегодня из Парижа... Просит прощения, умоляет вернуться... *(Рвет телеграмму.)* Словно где-то музыка. *(Прислушивается.)*

Гаев. Это наш знаменитый еврейский оркестр. Помнишь, четыре скрипки, флейта и контрабас.

Любовь Андреевна. Он еще существует? Его бы к Вам зазвать как-нибудь, устроить вечерок.

Звуки музыки мгновенно помогают Раневской утешиться и обратиться к вещам более приятным.

Точно так же в третьем действии, в сцене возвращения с торгов, гаевское: «Столько я выстрадал!» — существенно корректируется иронической авторской ремаркой: «Дверь в биллиардную открыта; слышен стук шаров... У Гаева меняется выражение, он уже не плачет».

Но в пьесе легко увидеть и обратное. В поведении героев не только трагедия и драма часто срываются в фарс, но и сквозь водевильность, сквозь комизм и нелепость проглядывает лицо драмы и трагедии.

В финале «Вишневого сада», расставаясь с домом навсегда, Гаев не может удержаться от привычной высокопарности: «Друзья мои, милые, дорогие друзья мои! Покидая этот дом навсегда, могу ли я умолчать, могу ли удержаться, чтобы не высказать на прощанье те чувства, которые наполняют теперь все мое существо...» Его обрывают, следует привычно сконфуженное:

«Дуплетом желтого в середину...» И вдруг: «Помню, когда мне было шесть лет, в Троицын день я сидел на этом окне и смотрел, как мой отец шел в церковь...»

Чувство вырвалось из оков затверженных стереотипов, в душе этого человека словно зажегся свет, за простыми словами обнаружилась реальная боль.

Практически каждому персонажу, даже самому нелепому, — опять же, кроме Яши, что лучше всего характеризует его отделенность, отрезанность от общего мировосприятия героев пьесы, — дан в «Вишневом саде» момент истины, момент трезвого осознания себя. Такое осознание болезненно, ведь речь идет об одиночестве, неудачах, уходящей жизни и упущенных возможностях, но оно и целительно, потому что обнаруживает за веселыми масками, будто выхваченными из какого-то водевиля, живые страдающие души.

Особенно очевиден и парадоксален этот принцип в применении к наиболее простым, казалось бы, характерам Епиходова, Симеонова-Пищика, Шарлотты. С первым все время происходят несчастья, все силы второго устремлены на добывание денег, третья бесконечно показывает фокусы. Но последний монолог Пищика, так ли он комичен:

«Ну, ничего... *(Сквозь слезы.)* Ничего... Величайшего ума люди... эти англичане... Ничего... Будьте счастливы... Бог поможет вам... Ничего... Всему на этом свете бывает конец... *(Целует руку Любови Андреевне.)* А дойдет до вас слух, что мне конец пришел, вспомните вот эту самую... лошадь и скажите: „Был на свете такой, сякой... Симеонов-Пищик... царство ему небесное“... Замечательнейшая погода... Да. *(Уходит в сильном смущении, но тотчас же возвращается и говорит в дверях.)* Кланялась вам Дашенька! *(Уходит.)*».

Этот монолог — своеобразная «пьеса в пьесе» со своим текстом и подтекстом, с богатством психологических реакций, с переплетением серьезного и смешного.

А размышления Шарлотты в начале второго действия с пронзительным рефреном: «А откуда я и кто я — не знаю. <...> Кто я, зачем я, неизвестно...»? В. Ермилов прокомментировал их: «Кстати сказать, не слишком большая серьезность, гротескность всего ее грустного высказывания подчеркивается и этой мелочью: в самый печальный момент раздумий над своей судьбой Шарлотта „достает из кармана огурец и ест“. Все-таки очень — по-чеховски! — неожиданно, что дама таскает в кармане огурцы... Судьба Шарлотты Ивановны после продажи вишневого сада устроится: она, по всей вероятности, вновь найдет место гувернантки, вернее, забавной приживалки»[1].

Судьбу героини почему-то устраивает литературовед, но не писатель! Огурец, появляющийся в этой сцене, ничуть не более комичен, чем висящая на стене карта Африки в «Дяде Ване». Если это эксцентрика, то — трагическая, подчеркивающая абсолютное, «тотальное» одиночество героини, человека без паспорта, без родины, без близких. И она «работает» на общее настроение пьесы, на ее внутренний сюжет.

Точно так же реальная боль прорывается в монологах недотепы Епиходова сквозь его «галантерейные» словечки и бесконечные придаточные. «Я развитой человек, читаю разные замечательные книги, но никак не могу понять направления, чего мне собственно хочется, жить мне или застрелиться, собственно говоря, но тем не менее я всегда ношу при себе револьвер». Ведь это гамлетовское «быть или не быть», только по-епиходовски неуклюже сформулированное!

Внешнему сюжету «Вишневого сада» соответствует привычная для реалистической драмы, и Чехова в том числе, речевая раскраска характеров: бильярдные термины Гаева, просторечие и косноязычие Лопахина, витиеватость Епиходова, восторженность Пищика, студенческо-пропагандистский жаргон Трофимова.

---

[1] *Ермилов В.* Драматургия Чехова. С. 310.

Но на ином уровне, во внутреннем сюжете возникает общая лирическая стихия, которая подчиняет себе голоса отдельных персонажей.

«Вы уехали в Великом посту, тогда был снег, был мороз, а теперь? Милая моя!.. Заждались вас, радость моя, светик...

Хотелось бы только, чтобы вы мне верили по-прежнему, чтобы ваши удивительные трогательные глаза глядели на меня, как прежде...

Какие чудесные деревья! Боже мой, воздух! Скворцы поют!..

О сад мой! После темной, ненастной осени и холодной зимы опять ты молод, полон счастья, ангелы небесные не покинули тебя...»

Где здесь служанка, где купец, где барыня? Где отцы, где дети? Реплики организуются в единый ритм стихотворения в прозе. Кажется, что это говорит человек вообще, вместившая разные сознания *Мировая душа*, о которой написал пьесу герой «Чайки». Но в отличие от романтически-абстрактного образа, созданного Константином Треплевым («Во мне душа и Александра Великого, и Цезаря, и Шекспира, и Наполеона, и последней пиявки»), «общая Мировая душа» героев «Вишневого сада» четко прописана в конце XIX века.

Атмосфера: нервность и молчание

Чеховских героев любили называть «хмурыми людьми» (по названию его сборника конца 1880-х годов). Может быть, более универсальным и точным оказывается другое их определение — *нервные люди*. Самое интересное в них — парадоксальность, непредсказуемость, легкость переходов из одного состояния в другое.

Слово «нервный» сравнительно поздно
Появилось у нас в словаре —
У некрасовской музы нервозной
В петербургском промозглом дворе...

Крупный счет от модистки и слезы,
И больной истерический смех.
Исторически эти неврозы
Объясняются болью за всех,
Переломным сознаньем и бытом.
Эту нервность, и бледность, и пыл,
Что неведомы сильным и сытым,
Позже в женщинах Чехов ценил.
Меж двух зол это зло выбирая,
Если помните... ветер в полях,
Коврин, Таня, в саду дымовая
Горечь, слезы и черный монах.
А теперь и представить не в силах
Ровной жизни и мирной любви.
Что однажды блеснуло в чернилах,
То навеки осталось в крови.

Возможно, не совсем точное в отношении «словаря» стихотворение А. Кушнера представляет собой проницательный «культурологический этюд», в центре которого — важная черта чеховского мира (не случайно подробно, «крупным планом» здесь описана лишь фабула «Черного монаха»).

В толковых словарях слово *нервный* появилось в начале девятнадцатого века. Но литературе этого времени оно практически неведомо, свидетельство чему, например, «Словарь языка Пушкина». У Пушкина *нервный* встречается лишь однажды, да и то в критической статье, еще по разу — *нервы* (в письме) и *нервический* (в незаконченном «Романе в письмах»)[1]. Но дело, конечно, не в слове, а в свойстве, которое оно обозначает.

«Нервность» — вполне периферийная особенность мира Пушкина и его современников, лишь изредка проявляющаяся в характеристике отдельных персонажей (скажем, сентиментальной барышни). Мир, в котором существуют герои Пушкина, Гоголя, потом Тургенева, Толстого, может быть трагичен, но стабилен,

---

[1] Словарь языка Пушкина. Т. 2. М., 1958. С. 833.

устойчив в своих основах. К концу девятнадцатого века эти основы пошатнулись. «Переломные сознанье и быт» у Чехова, пожалуй, находят свое завершение, наиболее глубокую эстетическую реализацию.

«Как все нервны! Как все нервны!» — ставит диагноз доктор Дорн в «Чайке». «...Он чувствовал, что его полубольным, издерганным нервам, как железо магниту, отвечают нервы этой плачущей, вздрагивающей девушки» — так описаны отношения Коврина и Тани в «Черном монахе» (8; 240). «Он догадывался, что иллюзия иссякла и уже начиналась новая, нервная, сознательная жизнь, которая не в ладу с покоем и личным счастьем» — таков итог пробуждения «учителя словесности» Никитина от спокойного сна обывательского существования (8; 331–332).

«Нервность» — нерв мира Чехова. В данном случае — свойство не отдельного персонажа, а всей атмосферы «Вишневого сада». Причем слову *атмосфера* в применении к чеховскому творчеству пора придать не условно метафорический (об особой «атмосфере», «настроении» постановок Чехова в МХТ критики говорили еще при жизни писателя), а более точный терминологический смысл.

Опора для такого понимания находится в «фамильной» чеховской традиции. «Атмосфера» была ключевым понятием в эстетической системе М. А. Чехова, замечательного актера, племянника Антона Павловича.

Чехов-младший называл атмосферу «душой спектакля»[1], «сердцем всякого художественного произведения» (195), выстраивал целую «лестницу» эмоциональных состояний, которые должны быть реализованы на сцене: настроение, чувство персонажа в данный момент — его атмосфера, т. е. эмоциональная доминанта характера, атмосфера сцены, действия, эпизода, нако-

---

[1] *Чехов М. А.* Литературное наследие. Т. 2. М., 1986. С. 137. Далее ссылки даны в тексте.

нец, общая атмосфера спектакля, представляющая собой партитуру, динамику атмосфер. Наибольшее значение М. Чехов придавал как раз атмосфере общей, вырастающей из жизненной практики и нуждающейся в художественном воссоздании.

«Все мы знаем, что такое атмосфера. Мы эту проблему уже не раз затрагивали,— рассуждает он в одной из поздних лекций. — Говорили об общей атмосфере, объективной атмосфере. Атмосфера окружает все: нас, дома, местности, жизненные события и т. д. Войдите, к примеру, в библиотеку, в церковь, на кладбище, в больницу или в антикварную лавку, и вы сразу уловите атмосферу, которая лично никому не принадлежит. Просто общая, объективная атмосфера, присущая тому или иному месту, зданию, улице» (342).

Главное же свойство атмосферы, воссозданной на сцене, М. Чехов видит в следующем: «Атмосфера обладает силой изменять содержание слов и сценических положений... Одна и та же сцена (например, любовная) с одним и тем же текстом прозвучит различно в атмосфере: трагедии, драмы, мелодрамы, комедии, водевиля и фарса... Смысл этой сцены станет в каждой из названных атмосфер совсем другим. „Люблю!“ — в атмосфере трагедии или фарса!!!» (140).

Трудно избавиться от ощущения, что «теория атмосферы» возникает как результат осмысления прежде всего чеховских пьес: настолько убедительно она поясняет их эстетическую структуру, выводится из них.

В «Вишневом саде» очевидна и атмосфера каждого персонажа, и партитура атмосфер, движение от действия к действию: сопутствующая приезду суета и утренняя беспорядочность первого действия; длинные вечерние дачные разговоры в поле у покривившейся часовенки в действии втором; надрывное веселье и ожидание результата торгов, своеобразный «пир во время чумы» в третьем действии; пронзительное чувство конца, расставания с домом, с прошлым, с надеждами в действии четвертом.

Но доминантой, «душой», «сердцем» «Вишневого сада» оказывается атмосфера зыбкости, неустойчивости, нервности, жизни «враздробь». «Руки трясутся, я в обморок упаду» (Дуняша); «Я не спала всю дорогу, томило меня беспокойство» (Аня); «Я не переживу этой радости...» (Раневская); «А у меня дрожат руки: давно не играл на биллиарде» (Гаев); «Сердце так и стучит» (Варя); «Погодите, господа, сделайте милость, у меня в голове помутилось, говорить не могу...» (Лопахин). И — внезапное, как из-под земли, появление прохожего. И — звук лопнувшей струны.

Ритм существования чеховских героев, их положение «на грани» весьма близки современному сознанию (только сегодня чеховской «нервности» аналогично, вероятно, иное понятие, которое давно вышло за специальные рамки и стало одним из символов века, — «стресс»).

Однако есть в пьесе и третий, парадоксальный уровень общения персонажей — несловесный. После бурных монологов, лирических излияний возникают в развитии действия моменты, когда персонажи вдруг замолкают, и в этой тишине происходит самое главное: герои думают, возникает общение душ.

Говоря парадоксально, для чеховской драмы наиболее результативно молчание. Не случайно ремарка «Пауза» становится одним из характернейших элементов чеховской драмы, начиная с первой пьесы без названия. В «Вишневом саде» 31 пауза, причем наиболее насыщено ими «бездейственное» второе действие, где герои размышляют наиболее интенсивно. Паузы играют большую роль в формировании чеховского подтекста[1].

«Дочеховский театр — по преимуществу театр вербальный. В чеховской драме слова не занимают главен-

---

[1] См. об этом: *Левитан Л. С.* Многоплановость сюжета пьесы А. П. Чехова «Вишневый сад» // Сюжетосложение в русской литературе / Под ред. Л. М. Цилевича. Даугавпилс, 1980. С. 132–135.

ствующего положения в общении. Чехов принес на сцену разлад между действием словесным и действием пластическим, поступком („жестом“). В чеховском театре слова становятся своеобразной маской, скрывающей истинные чувства и побуждения. А. П. Чехов поставил перед театром проблему неисчерпаемости драмы текстом»[1].

Символы: сад и лопнувшая струна

В чеховской драме существует не только подтекст, но и «надтекст» — система символов и главный из них, вынесенный в заглавие драмы.

Образ сада, как и все в пьесе, диалектичен, антиномичен. Даны его конкретные, бытовые приметы: о вишневом саде говорится в энциклопедии, цветущие деревья видны в окна дома, с него собирали когда-то большие урожаи, в конце его рубят «веселые дровосеки». Но именно вокруг сада выстраиваются размышления героев о времени, о прошлом и будущем России, именно он «провоцирует» самые исповедальные монологи и реплики, проявляет характеры героев, обозначает поворотные моменты сюжета. Конкретный образ перерастает в символ, связывая воедино основные мотивы пьесы.

«Аня. <...> Я дома! Завтра утром встану, побегу в сад...

Лопахин. Местоположение чудесное, река глубокая. Только, конечно, нужно поубрать, почистить... например, скажем, снести все старые постройки, вот этот дом, который уже никуда не годится, вырубить старый вишневый сад...

Любовь Андреевна. Вырубить? Милый мой, простите, вы ничего не понимаете. Если во всей губернии есть что-

---

[1] *Таранова Е. П.* Проблемы интерпретации классической пьесы (А. П. Чехов. «Вишневый сад»: пьеса и сцена). Л., 1985. С. 9—10.

нибудь интересное, даже замечательное, так это только наш вишневый сад.

Лопахин. Замечательного в этом саду только то, что он очень большой».

«Гаев. <...> Сад весь белый. Ты не забыла, Люба? Вот эта длинная аллея идет прямо, точно протянутый ремень, она блестит в лунные ночи. Ты помнишь? Не забыла?

Любовь Андреевна. О, мое детство, чистота моя! В этой детской я спала, глядела отсюда на сад, счастье просыпалось вместе со мною каждое утро, и тогда он был точно таким, ничего не изменилось».

«Аня. Что вы со мной сделали, Петя, отчего я уже не люблю вишневого сада, как прежде. Я любила его так нежно, мне казалось, на земле нет лучше места, как наш сад.

Трофимов. Вся Россия ваш сад. Земля велика и прекрасна, есть на ней много чудесных мест».

«Лопахин. Приходите все смотреть, как Ермолай Лопахин хватит топором по вишневому саду, как упадут на землю деревья! Настроим мы дач, и наши внуки и правнуки увидят тут новую жизнь...»

«Любовь Андреевна. О мой милый, мой нежный, прекрасный сад!.. Моя жизнь, моя молодость, счастье мое, прощай!.. Прощай!..»

Этот образ вызвал в свое время, как известно, суровую отповедь Бунина, отказавшегося прочесть его символический смысл и упрекнувшего Чехова в недостаточной реалистичности: «Вопреки Чехову, нигде не было в России садов сплошь вишневых»[1]. «С появлением чеховской пьесы,— возражает современный режиссер,— эта бунинская правда (а быть может, он в чем-то и был прав) переставала казаться правдой. Теперь такие сады в нашем сознании есть, даже если буквально таких и не было»[2].

Причем важно заметить, что в отличие, например, от «Чайки», где символ имеет локальный характер, в «Вишневом саде» Чехов находит простой и в то же

---

[1] Литературное наследство. С. 674.

[2] *Эфрос А.* Продолжение театрального рассказа. С. 23.

время глубокий *охватывающий символ,* позволяющий «стянуть» в одно целое самые разнообразные содержательные аспекты пьесы, показать характеры вне прямого конфликта, в форме реакции, отношения к центральному символическому образу.

На главенствующую роль этого образа обратил внимание уже Короленко, суждение которого цитировалось ранее.

Позднее об этом точно сказал Г. А. Гуковский: «Раневская, Гаев, Фирс — это люди; каждый из них имеет свой личный характер, и все они, порознь и вместе, обусловлены социальной судьбой того уклада жизни, который их породил и сформировал их психологический тип. При этом все они — не отдельны, не суммированы, а интегрированы в пьесе; не каждый из них в особенности своей — герой пьесы, а именно вся жизнь в своем единстве; скорее всего центральным героем пьесы является не кто иной, как Вишневый Сад. Драматург создал картину жизненного процесса, в который люди входят как высшая ценность, но и как элементы, неотделимые от целого»[1].

Существенное значение в символическом плане пьесы имеет и еще один образ, звуковой — знаменитый звук лопнувшей струны, дважды использованный в «Вишневом саде». В статье Г. А. Бялого перечислены замеченные И. Г. Ямпольским, Л. Э. Найдич его образные аналоги: в поэме Тургенева «Стено» и в его же стихотворении в прозе «Нимфы», в стихотворении Г. Гейне «Она угасла»[2]. Совпадения эти носят скорее всего типологический характер, ибо поэма Тургенева напечатана уже после смерти Чехова; о знакомстве Че-

---

[1] *Гуковский Г. А.* Изучение литературного произведения в школе. М.; Л., 1966. С. 216.

[2] Театр. 1985. № 1. С. 187. См. также: *Головачева А. Г.* Звук лопнувшей струны в «Вишневом саде»: Предшественники и современники // Памяти Григория Абрамовича Бялого. СПб., 1996. С. 122–134.

хова с другими источниками сведений нет. Существует, однако, еще один источник, где встречается сходный образ в сходной функции, не знать который Чехов не мог. Потому что это — «Война и мир».

В эпилоге толстовского романа (ч. 1, гл. XIV) Пьер рассуждает: «Что молодо, честно, то губят! Все видят, что это не может так идти. Все слишком натянуто и непременно лопнет...» И чуть далее: «Когда вы стоите и ждете, что вот-вот лопнет эта натянутая струна; когда все ждут неминуемого переворота — надо как можно теснее и больше народа взяться рука с рукой, чтобы противостоять общей катастрофе»[1].

Если охватывающий символический образ вишневого сада — ядро, сердце изображаемого мира, то звук лопнувшей струны — знак конца этого мира, мира, взятого как целое, во всех его противоречиях.

Герои — все — бегут от настоящего, и это приговор ему, заметили мы ранее. Но и такая мысль имеет в пьесе Чехова противоположную сторону. Гибель вишневого сада (прекрасного) — в разной, конечно, степени, но все-таки приговор тем людям, которые не смогли или не захотели его спасти.

> «Слышится отдаленный звук, точно с неба, звук лопнувшей струны, замирающий, печальный. Наступает тишина, и только слышно, как далеко в саду топором стучат по дереву.
>
> Занавес».

В самом начале XX века Чехов угадывает новую формулу человеческого существования: расставание с идеалами и иллюзиями прошлого, потеря дома, гибель сада, выход на большую дорогу, где людей ожидает пугающее будущее и жизнь «враздробь».

Через пятнадцать лет, сразу после революции, литератор, дружески называвший Чехова «нашим Анто-

---

[1] *Толстой Л. Н.* Собрание сочинений: В 22 т. Т. 7. М., 1981. С. 296.

шей Чехонте», в краткой притче «La Divina Commedia» (тоже комедия!) заменит звук струны грохотом железа и опустит над русским прошлым свой занавес.

«С лязгом, скрипом, визгом опускается над Русскою Историею железный занавес.

— Представление окончилось. Публика встала.

— Пора одевать шубы и возвращаться домой.

Оглянулись.

Но ни шуб, ни домов не оказалось».

(В. Розанов. «Апокалипсис нашего времени».)

Один французский критик утверждал, что чеховский *комплекс сада* определил собой XX век. И в новом веке содержание человеческой жизни, кажется, не изменилось.

Покинутый дом — потерянный рай.

«И всюду страсти роковые, И от судеб защиты нет» — так заканчивается пушкинская поэма «Цыганы».

Пушкин и Чехов, начало и конец великой русской литературы, как эхо, перекликаются в пространстве XIX века.

Игорь Сухих

Медведь

Шутка в одном действии

Посвящена Н. Н. Соловцову

ДЕЙСТВУЮЩИЕ ЛИЦА

Елена Ивановна Попова, вдовушка с ямочками на щеках, помещица.

Григорий Степанович Смирнов, нестарый помещик.

Лука, лакей Поповой, старик.

Гостиная в усадьбе Поповой.

I

П о п о в а (в глубоком трауре, не отрывает глаз от фотографической карточки) и Л у к а.

Л у к а. Нехорошо, барыня... Губите вы себя только... Горничная и кухарка пошли по ягоды, всякое дыхание радуется, даже кошка и та свое удовольствие понимает и по двору гуляет, пташек ловит, а вы цельный день сидите в комнате, словно в монастыре, и никакого удовольствия. Да, право! Почитай, уж год прошел, как вы из дому не выходите!..

П о п о в а. И не выйду никогда... Зачем? Жизнь моя уже кончена. Он лежит в могиле, я погребла себя в четырех стенах... Мы оба умерли.

Л у к а. Ну, вот! И не слушал бы, право. Николай Михайлович померли, так тому и быть, Божья воля, царство им небесное... Погоревали — и будет, надо и честь знать. Не весь же век плакать и траур носить. У меня тоже в свое время старуха померла... Что ж? Погоревал, поплакал с месяц, и будет с нее, а ежели цельный век Лазаря петь, то и старуха того не стоит. *(Вздыхает.)* Соседей всех забыли... И сами не ездите, и принимать не велите. Живем, извините, как пауки, — света белого не видим. Ливрею мыши съели... Добро бы хороших людей не было, а то ведь полон уезд господ... В Рыблове полк стоит, так офицеры — чистые конфеты, не наглядишься! А в лагерях что ни пятница, то бал, и, почитай, каждый день военная оркестра музыку играет... Эх, барыня-матушка! Молодая, красивая, кровь с молоком, — только бы и жить в свое удовольствие... Красота-то ведь не навеки дадена! Пройдет годов десять, сами захотите павой пройтись да господам офицерам в глаза пыль пустить, ан поздно будет.

Попова *(решительно)*. Я прошу тебя никогда не говорить мне об этом! Ты знаешь, с тех пор как умер Николай Михайлович, жизнь потеряла для меня всякую цену. Тебе кажется, что я жива, но это только кажется! Я дала себе клятву до самой могилы не снимать этого траура и не видеть света... Слышишь? Пусть тень его видит, как я люблю его... Да, я знаю, для тебя не тайна, он часто бывал несправедлив ко мне, жесток и... и даже неверен, но я буду верна до могилы и докажу ему, как я умею любить. Там, по ту сторону гроба, он увидит меня такою же, какою я была до его смерти...

Лука. Чем эти самые слова, пошли бы лучше по саду погуляли, а то велели бы запрячь Тоби или Великана и к соседям в гости...

Попова. Ах!.. *(Плачет.)*

Лука. Барыня!.. Матушка!.. Что вы? Христос с вами!

Попова. Он так любил Тоби! Он всегда ездил на нем к Корчагиным и Власовым. Как он чудно правил! Сколько грации было в его фигуре, когда он изо всей силы натягивал вожжи! Помнишь? Тоби, Тоби! Прикажи дать ему сегодня лишнюю осьмушку овса.

Лука. Слушаю!

Резкий звонок.

Попова *(вздрагивает)*. Кто это? Скажи, что я никого не принимаю!

Лука. Слушаю-с! *(Уходит.)*

II

Попова (одна).

Попова *(глядя на фотографию)*. Ты увидишь, Nicolas, как я умею любить и прощать... Любовь моя угаснет вместе со мною, когда перестанет биться мое бедное сердце. *(Смеется, сквозь слезы.)* И тебе не совестно? Я паинька, верная женка, заперла себя на замок и буду верна тебе до могилы, а ты... и тебе не совестно, бутуз? Изменял мне, делал сцены, по целым неделям оставлял меня одну...

III

Попова и Лука.

Лука *(входит, встревоженно)*. Сударыня, там кто-то спрашивает вас. Хочет видеть...

Попова. Но ведь ты сказал, что я со дня смерти мужа никого не принимаю?

Лука. Сказал, но он и слушать не хочет; говорит, что очень нужное дело.

Попова. Я не при-ни-ма-ю!

Лука. Я ему говорил, но... леший какой-то... ругается и прямо в комнату прет... уж в столовой стоит...

Попова *(раздраженно)*. Хорошо, проси... Какие невежи!

Лука уходит.

Как тяжелы эти люди! Что им нужно от меня? К чему им нарушать мой покой? *(Вздыхает.)* Нет, видно, уж и вправду придется уйти в монастырь... *(Задумывается.)* Да, в монастырь...

IV

Попова, Лука, Смирнов.

Смирнов *(входя, Луке)*. Болван, любишь много разговаривать... Осел! *(Увидев Попову, с достоинством.)* Сударыня, честь имею представиться: отставной поручик артиллерии, землевладелец Григорий Степанович Смирнов! Вынужден беспокоить вас по весьма важному делу...

Попова *(не подавая руки)*. Что вам угодно?

Смирнов. Ваш покойный супруг, с которым я имел честь быть знаком, остался мне должен по двум векселям тысячу двести рублей. Так как завтра мне предстоит платеж процентов в земельный банк, то я просил бы вас, сударыня, уплатить мне деньги сегодня же.

Попова. Тысяча двести... А за что мой муж остался вам должен?

Смирнов. Он покупал у меня овес.

Попова *(вздыхая, Луке)*. Так ты же, Лука, не забудь приказать, чтобы дали Тоби лишнюю осьмушку овса. *(Лука уходит. Смирнову.)* Если Николай Михайлович остался вам должен, то, само собою разумеется, я заплачу; но, извините, пожалуйста, у меня сегодня нет свободных денег. Послезавтра вернется из города мой приказчик, и я прикажу ему уплатить вам что следует, а пока я не могу исполнить вашего желания... К тому же сегодня исполнилось ровно семь месяцев, как умер мой муж, и у меня теперь такое настроение, что я совершенно не расположена заниматься денежными делами.

Смирнов. А у меня теперь такое настроение, что если я завтра не заплачу процентов, то должен буду вылететь в трубу вверх ногами. У меня опишут имение!

Попова. Послезавтра вы получите ваши деньги.

Смирнов. Мне нужны деньги не послезавтра, а сегодня.

Попова. Простите, сегодня я не могу заплатить вам.

Смирнов. А я не могу ждать до послезавтра.

Попова. Что же делать, если у меня сейчас нет!

Смирнов. Стало быть, не можете заплатить?

Попова. Не могу...

Смирнов. Гм!.. Это ваше последнее слово?

Попова. Да, последнее.

Смирнов. Последнее? Положительно?

Попова. Положительно.

Смирнов. Покорнейше благодарю. Так и запишем. *(Пожимает плечами.)* А еще хотят, чтобы я был хладнокровен! Встречается мне сейчас по дороге акцизный и спрашивает: «Отчего вы все сердитесь, Григорий Степанович?» Да помилуйте, как же мне не сердиться? Нужны мне до зарезу деньги... Выехал я еще вчера утром чуть свет, объездил всех своих должников, и хоть бы один из них заплатил свой долг! Измучился как собака, ночевал черт знает где — в жидовской корчме около водочного бочонка... Наконец, приезжаю сюда, за семьдесят верст от дому, надеюсь получить, а меня угощают «настроением»! Как же мне не сердиться?

Попова. Я, кажется, ясно сказала: приказчик вернется из города, тогда и получите.

Смирнов. Я приехал не к приказчику, а к вам! На кой леший, извините за выражение, сдался мне ваш приказчик!

Попова. Простите, милостивый сударь, я не привыкла к этим странным выражениям, к такому тону. Я вас больше не слушаю. *(Быстро уходит.)*

V

Смирнов (один).

Смирнов. Скажите пожалуйста! Настроение... Семь месяцев тому назад муж умер! Да мне-то нужно платить проценты или нет? Я вас спрашиваю: нужно платить проценты или нет? Ну, у вас муж умер, настроение там и всякие фокусы... приказчик куда-то уехал, черт его возьми, а мне что прикажете делать? Улететь от своих кредиторов на воздушном шаре, что ли? Или разбежаться и трахнуться башкой о стену? Приезжаю к Груздеву — дома нет, Ярошевич спрятался, с Курицыным поругался насмерть и чуть было его в окно не вышвырнул, у Мазутова — холерина, у этой — настроение. Ни одна каналья не платит! А все оттого, что я слишком их избаловал, что я нюня, тряпка, баба! Слишком я с ними деликатен! Ну, погодите же! Узнаете вы меня! Я не позволю шутить с собою, черт возьми! Останусь и буду торчать здесь, пока она не заплатит! Брр!.. Как я зол сегодня, как я зол! От злости все поджилки трясутся и дух захватило... Фуй, боже мой, даже дурно делается! *(Кричит.)* Человек!

VI

Смирнов и Лука.

Лука *(входит)*. Чего вам?

Смирнов. Дай мне квасу или воды!

Лука уходит.

Нет, какова логика! Человеку нужны до зарезу деньги, в пору вешаться, а она не платит, потому что, видите ли, не расположена заниматься денежными делами!.. Настоящая женская, турнюрная логика! Потому-то вот я никогда не любил и не люблю говорить с женщинами. Для меня легче сидеть на бочке с порохом, чем говорить с женщиной. Брр!.. Даже мороз по коже дерет — до такой степени разозлил меня этот шлейф! Стоит мне хотя бы издали увидеть поэтическое создание, как у меня от злости в икрах начинаются судороги. Просто хоть караул кричи.

VII

Смирнов и Лука.

Лука *(входит и подает воду)*. Барыня больны и не принимают.

Смирнов. Пошел!

Лука уходит.

Больны и не принимают! Не нужно, не принимай... Я останусь и буду сидеть здесь, пока не отдашь денег. Неделю будешь больна, и я неделю просижу здесь... Год будешь больна — и я год... Я свое возьму, матушка! Меня не тронешь трауром да ямочками на щеках... Знаем мы эти ямочки! *(Кричит в окно.)* Семен, распрягай! Мы не скоро уедем! Я здесь остаюсь! Скажешь там на конюшне, чтобы овса дали лошадям! Опять у тебя, скотина, левая пристяжная запуталась в вожжу! *(Дразнит.)* Ничаво... Я тебе задам — ничаво! *(Отходит от окна.)* Скверно... жара невыносимая, денег никто не платит, плохо ночь спал, а тут еще этот траурный шлейф с настроением... Голова болит... Водки выпить, что ли? Пожалуй, выпью. *(Кричит.)* Человек!

Лука (*входит*). Что вам?

Смирнов. Дай рюмку водки!

Лука уходит.

Уф! *(Садится и оглядывает себя.)* Нечего сказать, хороша фигура! Весь в пыли, сапоги грязные, неумыт, нечесан, на жилетке солома... Барынька, чего доброго, меня за разбойника приняла. *(Зевает.)* Немножко невежливо являться в гостиную в таком виде, ну да ничего... я тут не гость, а кредитор, для кредиторов же костюм не писан...

Лука (*входит и подает водку*). Много вы позволяете себе, сударь...

Смирнов (*сердито*). Что?

Лука. Я... я ничего... я, собственно...

Смирнов. С кем ты разговариваешь?! Молчать!

Лука (*в сторону*). Навязался, леший, на нашу голову. Принесла нелегкая...

Лука уходит.

Смирнов. Ах, как я зол! Так зол, что, кажется, весь свет стер бы в порошок... Даже дурно делается... *(Кричит.)* Человек!

VIII

Попова и Смирнов.

Попова (*входит, опустив глаза*). Милостивый государь, в своем уединении я давно уже отвыкла от человеческого голоса и не выношу крика. Прошу вас убедительно, не нарушайте моего покоя!

Смирнов. Заплатите мне деньги, и я уеду.

П о п о в а. Я сказала вам русским языком: денег у меня свободных теперь нет, погодите до послезавтра.

С м и р н о в. Я тоже имел честь сказать вам русским языком: деньги нужны мне не послезавтра, а сегодня. Если сегодня вы мне не заплатите, то завтра я должен буду повеситься.

П о п о в а. Но что же мне делать, если у меня нет денег? Как странно!

С м и р н о в. Так вы сейчас не заплатите? Нет?

П о п о в а. Не могу...

С м и р н о в. В таком случае я остаюсь здесь и буду сидеть, пока не получу... *(Садится.)* Послезавтра заплатите? Отлично! Я до послезавтра просижу таким образом. Вот так и буду сидеть... *(Вскакивает.)* Я вас спрашиваю: мне нужно заплатить завтра проценты или нет?.. Или вы думаете, что я шучу?

П о п о в а. Милостивый государь, прошу вас не кричать! Здесь не конюшня!

С м и р н о в. Я вас не о конюшне спрашиваю, а о том, нужно мне платить завтра проценты или нет?

П о п о в а. Вы не умеете держать себя в женском обществе!

С м и р н о в. Нет-с, я умею держать себя в женском обществе!

П о п о в а. Нет, не умеете! Вы невоспитанный, грубый человек! Порядочные люди не говорят так с женщинами!

С м и р н о в. Ах, удивительное дело! Как же прикажете говорить с вами? По-французски, что ли? *(Злится и сюсюкает.)* Мадам, же ву при...[1] как я счастлив, что вы не платите мне денег... Ах, пар-

[1] Прошу вас (*фр.* Je vous pris).

дон, что обеспокоил вас! Такая сегодня прелестная погода! И этот траур так к лицу вам! *(Расшаркивается.)*

Попова. Неумно и грубо.

Смирнов *(дразнит).* Неумно и грубо! Я не умею держать себя в женском обществе! Сударыня, на своем веку я видел женщин гораздо больше, чем вы воробьев! Три раза я стрелялся на дуэли из-за женщин, двенадцать женщин я бросил, девять бросили меня! Да-с! Было время, когда я ломал дурака, миндальничал, медоточил, рассыпался бисером, шаркал ногами... Любил, страдал, вздыхал на луну, раскисал, таял, холодел... Любил страстно, бешено, на всякие манеры, черт меня возьми, трещал, как сорока, об эмансипации, прожил на нежном чувстве половину состояния, но теперь — слуга покорный! Теперь меня не проведете! Довольно! Очи черные, очи страстные, алые губки, ямочки на щеках, луна, шепот, робкое дыханье — за все это, сударыня, я теперь и медного гроша не дам! Я не говорю о присутствующих, но все женщины, от мала до велика, ломаки, кривляки, сплетницы, ненавистницы, лгунишки до мозга костей, суетливы, мелочны, безжалостны, логика возмутительная, а что касается вот этой штуки *(хлопает себя по лбу),* то, извините за откровенность, воробей любому философу в юбке может дать десять очков вперед! Посмотришь на иное поэтическое созданье: кисея, эфир, полубогиня, миллион восторгов, а заглянешь в душу — обыкновеннейший крокодил! *(Хватается за спинку стула, стул трещит и ломается.)* Но возмутительнее всего, что этот крокодил почему-то воображает, что его шедевр, его привилегия и монополия — нежное чувство! Да черт побери совсем, повесьте меня вот на этом гвозде вверх ногами, —

разве женщина умеет любить кого-нибудь, кроме болонок?.. В любви она умеет только хныкать и распускать нюни! Где мужчина страдает и жертвует, там вся ее любовь выражается только в том, что она вертит шлейфом и старается покрепче схватить за нос. Вы имеете несчастье быть женщиной, стало быть, по себе самой знаете женскую натуру. Скажите же мне по совести: видели ли вы на своем веку женщину, которая была бы искренна, верна и постоянна? Не видели! Верны и постоянны одни только старухи да уроды! Скорее вы встретите рогатую кошку или белого вальдшнепа, чем постоянную женщину!

Попова. Позвольте, так кто же, по-вашему, верен и постоянен в любви? Не мужчина ли?

Смирнов. Да-с, мужчина!

Попова. Мужчина! *(Злой смех.)* Мужчина верен и постоянен в любви! Скажите, какая новость! *(Горячо.)* Да какое вы имеете право говорить это? Мужчины верны и постоянны! Коли на то пошло, так я вам скажу, что из всех мужчин, каких только я знала и знаю, самым лучшим был мой покойный муж... Я любила его страстно, всем своим существом, как может любить только молодая, мыслящая женщина; я отдала ему свою молодость, счастье, жизнь, свое состояние, дышала им, молилась на него, как язычница, и... и — что же? Этот лучший из мужчин самым бессовестным образом обманывал меня на каждом шагу! После его смерти я нашла в его столе полный ящик любовных писем, а при жизни — ужасно вспомнить! — он оставлял меня одну по целым неделям, на моих глазах ухаживал за другими женщинами и изменял мне, сорил моими деньгами, шутил над моим чувством. И, несмотря на все это, я любила его и была ему верна... Мало того, он умер, а я все еще верна ему и постоянна. Я навеки погребла себя в четырех стенах и до самой могилы не сниму этого траура...

Смирнов *(презрительный смех)*. Траур!.. Не понимаю, за кого вы меня принимаете? Точно я не знаю, для чего вы носите это черное домино и погребли себя в четырех стенах! Еще бы! Это так таинственно, поэтично! Проедет мимо усадьбы какой-нибудь юнкер или куцый поэт, взглянет на окна и подумает: «Здесь живет таинственная Тамара, которая из любви к мужу погребла себя в четырех стенах». Знаем мы эти фокусы!

Попова *(вспыхнув)*. Что? Как вы смеете говорить мне все это?

Смирнов. Вы погребли себя заживо, однако вот не позабыли напудриться!

Попова. Как вы смеете говорить со мною таким образом?

Смирнов. Не кричите, пожалуйста, я вам не приказчик! Позвольте мне называть вещи настоящими их именами. Я не женщина и привык высказывать свое мнение прямо! Не извольте же кричать!

Попова. Не я кричу, а вы кричите! Извольте оставить меня в покое!

Смирнов. Заплатите мне деньги, и я уеду.

Попова. Не дам я вам денег!

Смирнов. Нет-с, дадите!

Попова. Вот назло же вам ни копейки не получите! Можете оставить меня в покое!

Смирнов. Я не имею удовольствия быть ни вашим супругом, ни женихом, а потому, пожалуйста, не делайте мне сцен. *(Садится.)* Я этого не люблю.

Попова *(задыхаясь от гнева)*. Вы сели?

Смирнов. Сел.

П о п о в а. Прошу вас уйти!

С м и р н о в. Отдайте деньги... *(В сторону.)* Ах, как я зол! Как я зол!

П о п о в а. Я не желаю разговаривать с нахалами! Извольте убираться вон!

Пауза.

Вы не уйдете? Нет?

С м и р н о в. Нет.

П о п о в а. Нет?

С м и р н о в. Нет!

П о п о в а. Хорошо же! *(Звонит.)*

IX

Т е ж е и Л у к а.

П о п о в а. Лука, выведи этого господина!

Л у к а *(подходит к Смирнову)*. Сударь, извольте уходить, когда велят! Нечего тут...

С м и р н о в *(вскакивая)*. Молчать! С кем ты разговариваешь? Я из тебя салат сделаю!

Л у к а *(хватается за сердце)*. Батюшки!.. Угодники!.. *(Падает в кресло.)* Ох, дурно, дурно! Дух захватило!

П о п о в а. Где же Даша? Даша! *(Кричит.)* Даша! Пелагея! Даша! *(Звонит.)*

Л у к а. Ох! Все по ягоды ушли... Никого дома нету... Дурно! Воды!

П о п о в а. Извольте убираться вон!

С м и р н о в. Не угодно ли вам быть повежливее?

П о п о в а *(сжимая кулаки и топая ногами)*. Вы мужик! Грубый медведь! Бурбон! Монстр!

С м и р н о в. Как? Что вы сказали?

П о п о в а. Я сказала, что вы медведь, монстр!

Смирнов *(наступая)*. Позвольте, какое же вы имеете право оскорблять меня?

Попова. Да, оскорбляю... ну так что же? Вы думаете, я вас боюсь?

Смирнов. А вы думаете, что если вы поэтическое создание, то имеете право оскорблять безнаказанно? Да? К барьеру!

Лука. Батюшки!.. Угодники!.. Воды!

Смирнов. Стреляться!

Попова. Если у вас здоровые кулаки и бычье горло, то, думаете, я боюсь вас? А? Бурбон вы этакий!

Смирнов. К барьеру! Я никому не позволю оскорблять себя и не посмотрю на то, что вы женщина, слабое создание!

Попова *(стараясь перекричать)*. Медведь! Медведь! Медведь!

Смирнов. Пора, наконец, отрешиться от предрассудка, что только одни мужчины обязаны платить за оскорбления! Равноправность так равноправность, черт возьми! К барьеру!

Попова. Стреляться хотите? Извольте!

Смирнов. Сию минуту!

Попова. Сию минуту! После мужа остались пистолеты... Я сейчас принесу их сюда... *(Торопливо идет и возвращается.)* С каким наслаждением я влеплю пулю в ваш медный лоб! Черт вас возьми! *(Уходит.)*

Смирнов. Я подстрелю ее, как цыпленка! Я не мальчишка, не сентиментальный щенок, для меня не существует слабых созданий!

Лука. Батюшка родимый!.. *(Становится на колени.)* Сделай такую милость, пожалей меня, старика, уйди ты отсюда! Напужал до смерти, да еще стреляться собираешься!

Смирнов *(не слушая его)*. Стреляться, вот это и есть равноправность, эмансипация! Тут оба пола равны! Подстрелю ее из принципа! Но какова женщина? *(Дразнит.)* «Черт вас возьми... влеплю пулю в медный лоб...» Какова? Раскраснелась, глаза блестят... Вызов приняла! Честное слово, первый раз в жизни такую вижу...

Лука. Батюшка, уйди! Заставь вечно Бога молить!

Смирнов. Это — женщина! Вот это я понимаю! Настоящая женщина! Не кислятина, не размазня, а огонь, порох, ракета! Даже убивать жалко!

Лука *(плачет)*. Батюшка... родимый, уйди!

Смирнов. Она мне положительно нравится! Положительно! Хоть и ямочки на щеках, а нравится! Готов даже долг ей простить... и злость прошла... Удивительная женщина!

X

Те же и Попова.

Попова *(входит с пистолетами)*. Вот они, пистолеты... Но, прежде чем будем драться, вы извольте показать мне, как нужно стрелять... Я ни разу в жизни не держала в руках пистолета.

Лука. Спаси, Господи, и помилуй... Пойду садовника и кучера поищу... Откуда эта напасть взялась на нашу голову... *(Уходит.)*

Смирнов *(осматривая пистолеты)*. Видите ли, существует несколько сортов пистолетов... Есть специально дуэльные пистолеты Мортимера, капсюльные. А это у вас револьверы системы Смит и Вессон, тройного действия с экстрактором, центрального боя... Прекрасные пистолеты!.. Цена таким минимум девяносто рублей за пару... Держать револьвер нужно так... *(В сторону.)* Глаза, глаза! Зажигательная женщина!

Попова. Так?

Смирнов. Да, так... Засим вы поднимаете курок, вот так прицеливаетесь... Голову немножко назад! Вытяните руку как следует... Вот так... Потом вот этим пальцем надавливаете эту штучку — и больше ничего... Только главное правило: не горячиться и прицеливаться не спеша... Стараться, чтоб не дрогнула рука.

Попова. Хорошо... В комнатах стреляться неудобно, пойдемте в сад.

Смирнов. Пойдемте. Только предупреждаю, что я выстрелю в воздух.

Попова. Этого еще недоставало! Почему?

Смирнов. Потому что... потому что. Это мое дело почему!

Попова. Вы струсили? Да? А-а-а-а! Нет, сударь, вы не виляйте! Извольте идти за мною! Я не успокоюсь, пока не пробью вашего лба... вот этого лба, который я так ненавижу! Струсили?

Смирнов. Да, струсил.

Попова. Лжете! Почему вы не хотите драться?

Смирнов. Потому что... потому что вы... мне нравитесь.

Попова *(злой смех)*. Я ему нравлюсь! Он смеет говорить, что я ему нравлюсь! *(Указывает на дверь.)* Можете!

Смирнов *(молча кладет револьвер, берет фуражку и идет; около двери останавливается, полминуты оба молча глядят друг на друга; затем он говорит, нерешительно подходя к Поповой)*. Послушайте... Вы все еще сердитесь?.. Я тоже чертовски взбешен, но, понимаете ли... как бы этак выразиться... Дело в том, что, видите ли, такого рода история, собственно говоря... *(Кричит.)* Ну да разве я виноват, что вы мне нравитесь? *(Хватается за спинку стула, стул трещит и ломается.)* Черт знает какая у вас ломкая мебель! Вы мне нравитесь! Понимаете? Я... я почти влюблен!

Попова. Отойдите от меня,— я вас ненавижу!

Смирнов. Боже, какая женщина! Никогда в жизни не видал ничего подобного! Пропал! Погиб! Попал в мышеловку, как мышь!

Попова. Отойдите прочь, а то буду стрелять!

Смирнов. Стреляйте! Вы не можете понять, какое счастие умереть под взглядами этих чудных глаз, умереть от револьвера, который держит эта маленькая бархатная ручка... Я с ума сошел! Думайте и решайте сейчас, потому что если я выйду отсюда, то уж мы больше никогда не увидимся! Решайте... Я дворянин, порядочный человек, имею десять тысяч годового дохода... попадаю пулей в подброшенную копейку... имею отличных лошадей... Хотите быть моею женой?

Попова *(возмущенная, потрясает револьвером)*. Стреляться! К барьеру!

Смирнов. Сошел с ума... Ничего не понимаю... *(Кричит.)* Человек, воды!

Попова *(кричит)*. К барьеру!

Смирнов. Сошел с ума, влюбился, как мальчишка, как дурак! *(Хватает ее за руку, она вскрикивает от боли.)* Я люблю вас! *(Становится на колени.)* Люблю, как никогда не любил! Двенадцать женщин я бросил, девять бросили меня, но ни одну из них я не любил так, как вас... Разлимонился, рассиропился, раскис... стою на коленях, как дурак, и предлагаю руку... Стыд, срам! Пять лет не влюблялся, дал себе зарок, и вдруг втюрился, как оглобля в чужой кузов! Руку предлагаю. Да или нет? Не хотите? Не нужно! *(Встает и быстро идет к двери.)*

Попова. Постойте...

Смирнов *(останавливается)*. Ну?

Попова. Ничего, уходите... Впрочем, постойте... Нет, уходите, уходите! Я вас ненавижу! Или нет... Не уходите! Ах, если бы вы знали, как я зла, как я зла! *(Бросает на стол револьвер.)* Отекли пальцы от этой мерзости... *(Рвет от злости платок.)* Что же вы стоите? Убирайтесь!

Смирнов. Прощайте.

Попова. Да, да, уходите!.. *(Кричит.)* Куда же вы? Постойте... Ступайте, впрочем. Ах, как я зла! Не подходите, не подходите!

Смирнов *(подходя к ней)*. Как я на себя зол! Влюбился, как гимназист, стоял на коленях... Даже мороз по коже дерет... *(Грубо.)* Я люблю вас! Очень мне нужно было влюбляться в вас! Завтра проценты платить, сенокос начался, а тут вы... *(Берет ее за талию.)* Никогда этого не прощу себе...

Попова. Отойдите прочь! Прочь руки! Я вас... ненавижу! К ба-барьеру!

Продолжительный поцелуй.

XI

Те же, Лука с топором, садовник с граблями, кучер с вилами и рабочие с дрекольем.

Лука *(увидев целующуюся парочку)*. Батюшки!

Пауза.

Попова *(опустив глаза)*. Лука, скажешь там, на конюшне, чтобы сегодня Тоби вовсе не давали овса.

Занавес

Предложение

Шутка в одном действии

ДЕЙСТВУЮЩИЕ ЛИЦА

Степан Степанович Чубуков, помещик.

Наталья Степановна, его дочь, 25 лет.

Иван Васильевич Ломов, сосед Чубукова, здоровый, упитанный, но очень мнительный помещик.

Действие происходит в усадьбе Чубукова.
Гостиная в доме Чубукова.

I

Чубуков и Ломов (входит во фраке и белых перчатках).

Чубуков *(идя к нему навстречу)*. Голубушка, кого вижу! Иван Васильевич! Весьма рад! *(Пожимает руку.)* Вот именно сюрприз, мамочка... Как поживаете?

Ломов. Благодарю вас. А вы как изволите поживать?

Чубуков. Живем помаленьку, ангел мой, вашими молитвами и прочее. Садитесь, покорнейше прошу... Вот именно, нехорошо соседей забывать, мамочка моя. Голубушка, но что же вы это так официально? Во фраке, в перчатках и прочее. Разве куда едете, драгоценный мой?

Ломов. Нет, я только к вам, уважаемый Степан Степаныч.

Чубуков. Так зачем же во фраке, прелесть? Точно на Новый год с визитом!

Ломов. Видите ли, в чем дело. *(Берет его под руку.)* Я приехал к вам, уважаемый Степан Степаныч, чтобы обеспокоить вас одною просьбою. Неоднократно я уже имел честь обращаться к вам за помощью, и всегда вы, так сказать... но я, простите, волнуюсь. Я выпью воды, уважаемый Степан Степаныч. *(Пьет воду.)*

Чубуков *(в сторону)*. Денег приехал просить! Не дам! *(Ему.)* В чем дело, красавец?

Ломов. Видите ли, Уважай Степаныч... виноват, Степан Уважаемыч... то есть я ужасно волнуюсь, как изволите видеть... Одним словом, вы один только можете помочь мне, хотя, конечно, я ничем не заслужил и... и не имею права рассчитывать на вашу помощь...

Чубуков. Ах, да не размазывайте, мамочка! Говорите сразу! Ну?

Ломов. Сейчас... Сию минуту. Дело в том, что я приехал просить руки у вашей дочери Натальи Степановны.

Чубуков *(радостно)*. Мамуся! Иван Васильевич! Повторите еще раз, — я не расслышал!

Ломов. Я имею честь просить...

Чубуков *(перебивая)*. Голубушка моя... Я так рад и прочее... Вот именно и тому подобное. *(Обнимает и целует.)* Давно желал. Это было моим всегдашним желанием. *(Пускает слезу.)* И всегда я любил вас, ангел мой, как родного сына. Дай Бог вам обоим совет и любовь и прочее, а я весьма желал... Что же я стою как болван? Опешил от радости, совсем опешил! Ох, я от души... Пойду позову Наташу и тому подобное.

Ломов *(растроганный)*. Уважаемый Степан Степаныч, как вы полагаете, могу я рассчитывать на ее согласие?

Чубуков. Такой вот именно красавец — и... и вдруг она не согласится! Влюблена небось, как кошка, и прочее... Сейчас! *(Уходит.)*

II

Ломов (один).

Ломов. Холодно... Я весь дрожу, как перед экзаменом. Главное — нужно решиться. Если же долго думать, колебаться, много разговаривать да ждать идеала или настоящей любви, то этак никогда не женишься... Брр!.. Холодно! Наталья Степановна отличная хозяйка, недурна, образованна... чего ж мне еще нужно? Однако у меня уж начинается от волнения шум в ушах. *(Пьет воду.)* А не жениться мне нельзя... Во-первых, мне уже тридцать пять лет — возраст, так сказать, критический. Во-вторых, мне нужна правильная, регулярная жизнь... У меня порок сердца, постоянные сердцебиения, я вспыльчив и всегда ужасно волнуюсь. Сейчас вот у меня губы дрожат и на правом веке живчик прыгает... Но самое ужасное у меня — это сон. Едва только лягу в постель и только что начну засыпать, как вдруг в левом боку что-то — дерг! и бьет прямо в плечо и в голову... Вскакиваю, как сумасшедший, похожу немного и опять ложусь, но только что начну засыпать, как у меня в боку опять — дерг! И этак раз двадцать...

III

Наталья Степановна и Ломов.

Наталья Степановна *(входит)*. Ну вот! Это вы, а папа говорит: поди, там купец за товаром пришел. Здравствуйте, Иван Васильевич!

Ломов. Здравствуйте, уважаемая Наталья Степановна!

Наталья Степановна. Извините, я в фартуке и неглиже... Мы горошек чистим для сушки. Отчего вы у нас так долго не были? Садитесь...

Садятся.

Хотите завтракать?

Ломов. Нет, благодарю вас, я уже кушал.

Наталья Степановна. Курите... Вот спички... Погода великолепная, а вчера такой дождь был, что рабочие весь день ничего не делали. Вы сколько копен накосили? Я, представьте, сжадничала и скосила весь луг, а теперь сама не рада, боюсь, как бы мое сено не сгнило. Лучше было бы подождать. Но что это? Вы, кажется, во фраке! Вот новость! На бал едете, что ли? Между прочим, вы похорошели... Вправду, зачем вы таким франтом?

Ломов *(волнуясь)*. Видите ли, уважаемая Наталья Степановна... Дело в том, что я решился просить вас выслушать меня... Конечно, вы удивитесь и даже рассердитесь, но я... *(В сторону.)* Ужасно холодно!

Наталья Степановна. В чем дело?

Пауза.

Ну?

Ломов. Я постараюсь быть краток. Вам, уважаемая Наталья Степановна, известно, что я давно уже, с самого детства, имею честь знать ваше семейство. Моя покойная тетушка и ее супруг, от которых я, как вы изволите знать, получил в наследство землю, всегда относились с глубоким уважением к вашему батюшке и к покойной матушке. Род Ломовых и род Чубуковых всегда находились в самых дружественных и, можно даже сказать, родственных отношениях. К тому же, как вы изволите знать, моя земля тесно соприкасается с вашею. Если вы изволите припомнить, мои Воловьи Лужки граничат с вашим березняком.

Наталья Степановна. Виновата, я вас перебью. Вы говорите «мои Воловьи Лужки»... Да разве они ваши?

Ломов. Мои-с...

Наталья Степановна. Ну вот еще! Воловьи Лужки наши, а не ваши!

Ломов. Нет-с, мои, уважаемая Наталья Степановна.

Наталья Степановна. Это для меня новость. Откуда же они ваши?

Ломов. Как откуда? Я говорю про те Воловьи Лужки, что входят клином между вашим березняком и Горелым болотом.

Наталья Степановна. Ну да, да... Они наши...

Ломов. Нет, вы ошибаетесь, уважаемая Наталья Степановна, — они мои.

Наталья Степановна. Опомнитесь, Иван Васильевич! Давно ли они стали вашими?

Ломов. Как давно? Насколько я себя помню, они всегда были нашими.

Наталья Степановна. Ну, это, положим, извините!

Ломов. Из бумаг это видно, уважаемая Наталья Степановна. Воловьи Лужки были когда-то спорными, это — правда; но теперь всем известно, что они мои. И спорить тут нечего. Изволите ли видеть, бабушка моей тетушки отдала эти Лужки в бессрочное и в безвозмездное пользование крестьянам дедушки вашего батюшки за то, что они жгли для нее кирпич. Крестьяне дедушки вашего батюшки пользовались безвозмездно Лужками лет сорок и привыкли считать их как бы своими, потом же, когда вышло положение...

Наталья Степановна. И совсем не так, как вы рассказываете! И мой дедушка, и прадедушка считали, что ихняя земля доходила до Горелого болота, — значит, Воловьи Лужки были наши. Что ж тут спорить? — не понимаю. Даже досадно!

Ломов. Я вам бумаги покажу, Наталья Степановна!

Наталья Степановна. Нет, вы просто шутите или дразните меня... Сюрприз какой! Владеем землей чуть ли не триста лет, и вдруг нам заявляют, что земля не наша! Иван Васильевич, простите, но я даже ушам своим не верю... Мне не дороги эти Лужки. Там всего пять десятин, и стоят они каких-нибудь триста рублей, но меня возмущает несправедливость. Говорите что угодно, но несправедливости я терпеть не могу.

Ломов. Выслушайте меня, умоляю вас! Крестьяне дедушки вашего батюшки, как я уже имел честь сказать вам, жгли для бабушки моей тетушки кирпич. Тетушкина бабушка, желая сделать им приятное...

Наталья Степановна. Дедушка, бабушка, тетушка... ничего я тут не понимаю! Лужки наши, вот и все.

Ломов. Мои-с!

Наталья Степановна. Наши! Хоть вы два дня доказывайте, хоть наденьте пятнадцать фраков, а они наши, наши, наши!.. Вашего я не хочу и своего терять не желаю... Как вам угодно!

Ломов. Мне, Наталья Степановна, Лужков не надо, но я из принципа. Если угодно, то, извольте, я вам подарю их.

Наталья Степановна. Я сама могу подарить вам их, они мои!.. Все это по меньшей мере странно, Иван Васильевич! До сих пор мы вас считали хорошим соседом, другом, в прошлом году давали вам свою молотилку, и через это самим нам пришлось домолачивать свой хлеб в ноябре, а вы поступаете с нами, как с цыганами. Дарите мне мою же землю. Извините, это не по-соседски! По-моему, это даже дерзость, если хотите...

Ломов. По-вашему выходит, значит, что я узурпатор? Сударыня, никогда я чужих земель не захватывал и обвинять меня в этом никому не позволю... *(Быстро идет к графину и пьет воду.)* Воловьи Лужки мои!

Наталья Степановна. Неправда, наши!

Ломов. Мои!

Наталья Степановна. Неправда! Я вам докажу! Сегодня же пошлю своих косарей на эти Лужки!

Ломов. Что-с?

Наталья Степановна. Сегодня же там будут мои косари!

Ломов. А я их в шею!

Наталья Степановна. Не смеете!

Ломов *(хватается за сердце)*. Воловьи Лужки мои! Понимаете? Мои!

Наталья Степановна. Не кричите, пожалуйста! Можете кричать и хрипеть от злобы у себя дома, а тут прошу держать себя в границах!

Ломов. Если бы, сударыня, не это страшное, мучительное сердцебиение, если бы жилы не стучали в висках, то я поговорил бы с вами иначе! *(Кричит.)* Воловьи Лужки мои!

Наталья Степановна. Наши!

Ломов. Мои!

Наталья Степановна. Наши!

Ломов. Мои!

IV

Те же и Чубуков.

Чубуков *(входя)*. Что такое? О чем кричите?

Наталья Степановна. Папа, объясни, пожалуйста, этому господину, кому принадлежат Воловьи Лужки: нам или ему?

Чубуков *(ему)*. Цыпочка, Лужки наши!

Ломов. Да помилуйте, Степан Степаныч, откуда они ваши? Будьте хоть вы рассудительным человеком! Бабушка моей тетушки отдала Лужки во временное, безвозмездное пользование крестьянам вашего дедушки. Крестьяне пользовались землей сорок лет и привыкли к ней, как бы к своей, когда же вышло положение...

Чубуков. Позвольте, драгоценный... Вы забываете, что именно крестьяне не платили вашей бабушке и тому подобное, потому что Лужки тогда были спорными и прочее... А теперь всякая собака знает, вот именно, что они наши. Вы, значит, плана не видели!

Ломов. А я вам докажу, что они мои!

Чубуков. Не докажете, любимец мой.

Ломов. Нет, докажу!

Чубуков. Мамочка, зачем же кричать так? Криком, вот именно, ничего не докажете. Я вашего не желаю и своего упускать не намерен. С какой стати? Уж коли на то пошло, милаша моя, ежели вы намерены оспаривать Лужки и прочее, то я скорее подарю их мужикам, чем вам. Так-то!

Ломов. Не понимаю! Какое же вы имеете право дарить чужую собственность?

Чубуков. Позвольте уж мне знать, имею я право или нет. Вот именно, молодой человек, я не привык, чтобы со мною разговаривали таким тоном и прочее. Я, молодой человек, старше вас вдвое и прошу вас говорить со мною без ажитации и тому подобное.

Ломов. Нет, вы просто меня за дурака считаете и смеетесь надо мною! Мою землю называете своею, да еще хотите, чтобы я был хладнокровен и говорил с вами по-человечески! Так хорошие соседи не поступают, Степан Степаныч! Вы не сосед, а узурпатор!

Чубуков. Что-с? Что вы сказали?

Наталья Степановна. Папа, сейчас же пошли на Лужки косарей!

Чубуков *(Ломову)*. Что вы сказали, милостивый государь?

Наталья Степановна. Воловьи Лужки наши, и я не уступлю, не уступлю, не уступлю!

Ломов. Это мы увидим! Я вам судом докажу, что они мои.

Чубуков. Судом? Можете подавать в суд, милостивый государь, и тому подобное! Можете! Я вас знаю, вы только, вот именно, и ждете случая, чтобы судиться и прочее... Кляузная натура! Весь ваш род был сутяжный! Весь!

Ломов. Прошу не оскорблять моего рода! В роду Ломовых все были честные и не было ни одного, который находился бы под судом за растрату, как ваш дядюшка!

Чубуков. А в вашем ломовском роду все были сумасшедшие!

Наталья Степановна. Все, все, все!

Чубуков. Дед ваш пил запоем, а младшая тетушка, вот именно, Настасья Михайловна, бежала с архитектором и прочее...

Ломов. А ваша мать была кривобокая. *(Хватается за сердце.)* В боку дернуло... В голову ударило... батюшки!.. Воды!

Чубуков. А ваш отец был картежник и обжора.

Наталья Степановна. А тетка — сплетница, каких мало!

Ломов. Левая нога отнялась... А вы интриган... Ох, сердце!.. И ни для кого не тайна, что вы перед выборами под... В глазах искры... Где моя шляпа?

Наталья Степановна. Низко! Нечестно! Гадко!

Чубуков. А сами вы, вот именно, ехидный, двуличный и каверзный человек! Да-с!

Ломов. Вот она, шляпа... Сердце... Куда идти? Где дверь? Ох!.. Умираю, кажется... Нога волочится... *(Идет к двери.)*

Чубуков *(ему вслед)*. И чтоб ноги вашей больше не было у меня в доме!

Наталья Степановна. Подавайте в суд! Мы увидим!

Ломов уходит, пошатываясь.

V

Чубуков и Наталья Степановна.

Чубуков. К черту! *(Ходит в волнении.)*

Наталья Степановна. Каков негодяй? Вот и верь после этого добрым соседям!

Чубуков. Мерзавец! Чучело гороховое!

Наталья Степановна. Урод этакий! Присвоил себе чужую землю, да еще смеет браниться.

Чубуков. И эта кикимора, эта, вот именно, куриная слепота осмеливается еще делать предложение и прочее! А? Предложение!

Наталья Степановна. Какое предложение?

Чубуков. Как же! Приезжал затем, чтоб тебе предложение сделать.

Наталья Степановна. Предложение? Мне? Отчего же ты раньше мне этого не сказал?

Чубуков. И во фрак потому нарядился! Сосиска этакая! Сморчок!

Наталья Степановна. Мне? Предложение? Ах! *(Падает в кресло и стонет.)* Вернуть его! Вернуть! Ах! Вернуть!

Чубуков. Кого вернуть?

Наталья Степановна. Скорей, скорей! Дурно! Вернуть! *(Истерика.)*

Чубуков. Что такое? Что тебе? *(Хватает себя за голову.)* Несчастный я человек! Застрелюсь! Повешусь! Замучили!

Наталья Степановна. Умираю! Вернуть!

Чубуков. Тьфу! Сейчас. Не реви! *(Убегает.)*

Наталья Степановна *(одна, стонет)*. Что мы наделали! Вернуть! Вернуть!

Чубуков *(вбегает)*. Сейчас придет и прочее, черт его возьми! Уф! Говори сама с ним, а я, вот именно, не желаю...

Наталья Степановна *(стонет)*. Вернуть!

Чубуков *(кричит)*. Идет он, тебе говорят. О, что за комиссия, создатель, быть взрослой дочери отцом! Зарежусь! Обязательно зарежусь! Выругали человека, осрамили, выгнали, а все это ты... ты!

Наталья Степановна. Нет, ты!

Чубуков. Я же виноват, вот именно!

В дверях показывается Ломов.

Ну, разговаривай сама с ним! *(Уходит.)*

VI

Наталья Степановна и Ломов.

Ломов *(входит, изнеможенный)*. Страшное сердцебиение. Нога онемела... в боку дергает...

Наталья Степановна. Простите, мы погорячились, Иван Васильевич... Я теперь припоминаю: Воловьи Лужки в самом деле ваши.

Ломов. Страшно сердце бьется... Мои Лужки... На обоих глазах живчики прыгают...

Наталья Степановна. Ваши, ваши Лужки... Садитесь...

Садятся.

Мы были неправы.

Ломов. Я из принципа... Мне не дорога земля, но дорог принцип...

Наталья Степановна. Именно принцип... Давайте поговорим о чем-нибудь другом.

Ломов. Тем более что у меня есть доказательства. Бабушка моей тетушки отдала крестьянам дедушки вашего батюшки...

Наталья Степановна. Будет, будет об этом... *(В сторону.)* Не знаю, с чего начать... *(Ему.)* Скоро собираетесь на охоту?

Ломов. По тетеревам, уважаемая Наталья Степановна, думаю после жнитва начать. Ах, вы слышали? Представьте, какое у меня несчастье! Мой Угадай, которого вы изволите знать, захромал.

Наталья Степановна. Какая жалость! Отчего же?

Ломов. Не знаю... Должно быть, вывихнул или другие собаки покусали... *(Вздыхает.)* Самая лучшая собака, не говоря уж о деньгах! Ведь я за него Миронову сто двадцать пять рублей заплатил.

Наталья Степановна. Переплатили, Иван Васильевич!

Ломов. А по-моему, это очень дешево. Собака чудесная.

Наталья Степановна. Папа дал за своего Откатая восемьдесят пять рублей, а ведь Откатай куда лучше вашего Угадая!

Ломов. Откатай лучше Угадая? Что вы! *(Смеется.)* Откатай лучше Угадая!

Наталья Степановна. Конечно, лучше! Откатай, правда, молод, еще не опсовел, но по ладам и по розвязи лучше его нет даже у Волчанецкого.

Ломов. Позвольте, Наталья Степановна, но ведь вы забываете, что он подуздоват, а подуздоватая собака всегда непоимиста!

Наталья Степановна. Подуздоват? В первый раз слышу!

Ломов. Уверяю вас, нижняя челюсть короче верхней.

Наталья Степановна. А вы мерили?

Ломов. Мерил. До угонки он годится, конечно, но если на-завладай, то едва ли...

Наталья Степановна. Во-первых, наш Откатай породистый, густопсовый, он сын Запрягая и Стамезки, а у вашего муруго-пегого не доберешься до породы... Потом стар и уродлив, как кляча...

Ломов. Стар, да я за него пяти ваших Откатаев не возьму... Разве можно? Угадай — собака, а Откатай... даже и спорить смешно... Таких, как ваш Откатай, у всякого выжлятника — хоть пруд пруди. Четвертная — красная цена.

Наталья Степановна. В вас, Иван Васильевич, сидит сегодня какой-то бес противоречия.

То выдумали, что Лужки ваши, то Угадай лучше Откатая. Не люблю я, когда человек говорит не то, что думает. Ведь вы отлично знаете, что Откатай во сто раз лучше вашего... этого глупого Угадая. Зачем же говорить напротив?

Ломов. Я вижу, Наталья Степановна, вы считаете меня за слепого или за дурака. Да поймите, что ваш Откатай подуздоват!

Наталья Степановна. Неправда.

Ломов. Подуздоват!

Наталья Степановна *(кричит)*. Неправда!

Ломов. Что же вы кричите, сударыня?

Наталья Степановна. Зачем же вы говорите чушь? Ведь это возмутительно! Вашего Угадая подстрелить пора, а вы сравниваете его с Откатаем!

Ломов. Извините, я не могу продолжать этого спора. У меня сердцебиение.

Наталья Степановна. Я заметила: те охотники больше всех спорят, которые меньше всех понимают.

Ломов. Сударыня, прошу вас, замолчите... У меня лопается сердце... *(Кричит.)* Замолчите!

Наталья Степановна. Не замолчу, пока вы не сознаетесь, что Откатай во сто раз лучше вашего Угадая!

Ломов. Во сто раз хуже! Чтоб он издох, ваш Откатай! Виски... глаз... плечо...

Наталья Степановна. А вашему дурацкому Угадаю нет надобности издыхать, потому что он и без того уже дохлый!

Ломов *(плачет)*. Замолчите! У меня разрыв сердца!

Наталья Степановна. Не замолчу!

VII

Те же и Чубуков.

Чубуков *(входит)*. Что еще?

Наталья Степановна. Папа, скажи искренно, по чистой совести: какая собака лучше — наш Откатай или его Угадай?

Ломов. Степан Степанович, умоляю вас, скажите вы только одно: подуздоват ваш Откатай или нет? Да или нет?

Чубуков. А хоть бы и так? Велика важность! Да зато во всем уезде лучше собаки нет и прочее.

Ломов. Но ведь мой Угадай лучше? По совести!

Чубуков. Вы не волнуйтесь, драгоценный... Позвольте... Ваш Угадай, вот именно, имеет свои хорошие качества... Он чистопсовый, на твердых ногах, крутобедрый и тому подобное. Но у этой собаки, если хотите знать, красавец мой, два существенных недостатка: стара и с коротким щипцом.

Ломов. Извините, у меня сердцебиение... Возьмем факты... Извольте припомнить, в Маруськиных зеленях мой Угадай шел с графским Размахаем ухо в ухо, а ваш Откатай отстал на целую версту.

Чубуков. Отстал, потому что графский доезжачий ударил его арапником.

Ломов. За дело. Все собаки за лисицей бегут, а Откатай барана трепать стал!

Чубуков. Неправда-с!.. Голубушка, я вспыльчив и, вот именно, прошу вас, прекратим этот спор. Ударил потому, что всем завидно на чужую собаку глядеть... Да-с! Ненавистники все! И вы, сударь, не без греха! Чуть, вот именно, заметите, что чья собака лучше вашего Угадая, сейчас же начинаете того, этого... самого... и тому подобное... Ведь я все помню!

Ломов. И я помню!

Чубуков *(дразнит)*. И я помню... А что вы помните?

Ломов. Сердцебиение... Нога отнялась... Не могу.

Наталья Степановна *(дразнит)*. Сердцебиение... Какой вы охотник? Вам в кухне на печи лежать да тараканов давить, а не лисиц травить! Сердцебиение...

Чубуков. Вправду, какой вы охотник? С вашими, вот именно, сердцебиениями дома сидеть, а не на седле болтаться. Добро бы охотились, а то ведь ездите только затем, чтобы спорить да чужим собакам мешать и прочее. Я вспыльчив, оставим этот разговор. Вы вовсе, вот именно, не охотник!

Ломов. А вы разве охотник? Вы ездите только затем, чтобы к графу подмазываться да интриговать... Сердце!.. Вы интриган!

Чубуков. Что-с? Я интриган? *(Кричит.)* Замолчать!

Ломов. Интриган!

Чубуков. Мальчишка! Щенок!

Ломов. Старая крыса! Иезуит!

Чубуков. Замолчи, а то я подстрелю тебя из поганого ружья, как куропатку! Свистун!

Ломов. Всем известно, что — ох, сердце! — ваша покойная жена вас била... Нога... виски... искры... Падаю, падаю!..

Чубуков. А ты у своей ключницы под башмаком!

Ломов. Вот, вот, вот... лопнуло сердце! Плечо оторвалось... Где мое плечо?.. Умираю! *(Падает в кресло.)* Доктора! *(Обморок.)*

Чубуков. Мальчишка! Молокосос! Свистун! Мне дурно! *(Пьет воду.)* Дурно!

Наталья Степановна. Какой вы охотник? Вы и на лошади сидеть не умеете! *(Отцу.)* Папа! Что с ним? Папа! Погляди, папа! *(Взвизгивает.)* Иван Васильевич! Он умер!

Чубуков. Мне дурно!.. Дыханье захватило!.. Воздуху!

Наталья Степановна. Он умер! *(Треплет Ломова за рукав.)* Иван Васильич! Иван Васильич! Что мы наделали! Он умер! *(Падает в кресло.)* Доктора, доктора! *(Истерика.)*

Чубуков. Ох!.. Что такое? Что тебе?

Наталья Степановна *(стонет).* Он умер... умер!

Чубуков. Кто умер? *(Поглядев на Ломова.)* В самом деле помер! Батюшки! Воды! Доктора! *(Подносит ко рту Ломова стакан.)* Выпейте!.. Нет, не пьет... Значит, умер и тому подобное... Несчастнейший я человек! Отчего я не пускаю себе пулю в лоб? Отчего я еще до сих пор не зарезался? Чего я жду? Дайте мне нож! Дайте мне пистолет!

Ломов шевелится.

Оживает, кажется... Выпейте воды!.. Вот так...

Ломов. Искры... туман... Где я?

Чубуков. Женитесь вы поскорей и — ну вас к лешему! Она согласна! *(Соединяет руки Ломова и дочери.)* Она согласна и тому подобное. Благословляю вас и прочее. Только оставьте вы меня в покое!

Ломов. А? Что? *(Поднимаясь.)* Кого?

Чубуков. Она согласна! Ну? Поцелуйтесь и... и черт с вами!

Наталья Степановна *(стонет)*. Он жив... Да, да, я согласна...

Чубуков. Целуйтесь!

Ломов. А? кого? *(Целуется с Натальей Степановной.)* Очень приятно... Позвольте, в чем дело? Ах, да, понимаю... Сердце... искры... Я счастлив, Наталья Степановна... *(Целует руку.)* Нога отнялась...

Наталья Степановна. Я... я тоже счастлива...

Чубуков. Точно гора с плеч... Уф!

Наталья Степановна. Но... все-таки согласитесь хоть теперь: Угадай хуже Откатая.

Ломов. Лучше!

Наталья Степановна. Хуже!

Чубуков. Ну, начинается семейное счастье! Шампанского!

Ломов. Лучше!

Наталья Степановна. Хуже! Хуже! Хуже!

Чубуков *(стараясь перекричать)*. Шампанского! Шампанского!

Занавес

Иванов

Драма
в четырех действиях

ДЕЙСТВУЮЩИЕ ЛИЦА

Иванов Николай Алексеевич, непременный член по крестьянским делам присутствия.

Анна Петровна, его жена, урожденная Сарра Абрамсон.

Шабельский Матвей Семенович, граф, его дядя по матери.

Лебедев Павел Кириллыч, председатель земской управы.

Зинаида Савишна, его жена.

Саша, дочь Лебедевых, 20 лет.

Львов Евгений Константинович, молодой земский врач.

Бабакина Марфа Егоровна, молодая вдова, помещица, дочь богатого купца.

Косых Дмитрий Никитич, акцизный.

Боркин Михаил Михайлович, дальний родственник Иванова и управляющий его имением.

Авдотья Назаровна, старуха с неопределенною профессией.

Егорушка, нахлебник Лебедевых.

1-й гость.

2-й гость.

3-й гость.

4-й гость.

Петр, лакей Иванова.

Гаврила, лакей Лебедевых.

Гости обоего пола, лакеи.

Действие происходит в одном из уездов средней полосы России.

ДЕЙСТВИЕ ПЕРВОЕ

Сад в имении Иванова. Слева фасад дома с террасой. Одно окно открыто. Перед террасой широкая полукруглая площадка, от которой в сад, прямо и вправо, идут аллеи. На правой стороне садовые диванчики и столики. На одном из последних горит лампа. Вечереет. При поднятии занавеса слышно, как в доме разучивают дуэт на рояле и виолончели.

I

Иванов и Боркин.

Иванов сидит за столом и читает книгу. Боркин в больших сапогах, с ружьем, показывается в глубине сада; он навеселе; увидев Иванова, на цыпочках идет к нему и, поравнявшись с ним, прицеливается в его лицо.

Иванов *(увидев Боркина, вздрагивает и вскакивает)*. Миша, бог знает что... вы меня испугали... Я и так расстроен, а вы еще с глупыми шутками... *(Садится.)* Испугал и радуется...

Боркин *(хохочет)*. Ну, ну... виноват, виноват. *(Садится рядом.)* Не буду больше, не буду... *(Снимает фуражку.)* Жарко. Верите ли, душа моя, в какие-нибудь три часа семнадцать верст отмахал... замучился... Пощупайте-ка, как у меня сердце бьется...

Иванов *(читая)*. Хорошо, после...

Б о р к и н. Нет, вы сейчас пощупайте. *(Берет его руку и прикладывает к груди.)* Слышите? Ту-ту-ту-ту-ту-ту. Это, значит, у меня порок сердца. Каждую минуту могу скоропостижно умереть. Послушайте, вам будет жаль, если я умру?

И в а н о в. Я читаю... после...

Б о р к и н. Нет, серьезно, вам будет жаль, если я вдруг умру? Николай Алексеевич, вам будет жаль, если я умру?

И в а н о в. Не приставайте!

Б о р к и н. Голубчик, скажите: будет жаль?

И в а н о в. Мне жаль, что от вас водкой пахнет. Это, Миша, противно.

Б о р к и н *(смеется)*. Разве пахнет? Удивительное дело... Впрочем, тут нет ничего удивительного. В Плесниках я встретил следователя, и мы, признаться, с ним рюмок по восьми стукнули. В сущности говоря, пить очень вредно. Послушайте, ведь вредно? А? вредно?

И в а н о в. Это, наконец, невыносимо... Поймите, Миша, что это издевательство...

Б о р к и н. Ну, ну... виноват, виноват!.. Бог с вами, сидите себе... *(Встает и идет.)* Удивительный народ, даже и поговорить нельзя. *(Возвращается.)* Ах да! Чуть было не забыл... Пожалуйте восемьдесят два рубля!..

И в а н о в. Какие восемьдесят два рубля?

Б о р к и н. Завтра рабочим платить.

И в а н о в. У меня нет.

Б о р к и н. Покорнейше благодарю! *(Дразнит.)* У меня нет... Да ведь нужно платить рабочим? Нужно?

И в а н о в. Не знаю. У меня сегодня ничего нет. Подождите до первого числа, когда жалованье получу.

Боркин. Вот и извольте разговаривать с такими субъектами!.. Рабочие придут за деньгами не первого числа, а завтра утром!..

Иванов. Так что же мне теперь делать? Ну режьте меня, пилите... И что у вас за отвратительная манера приставать ко мне именно тогда, когда я читаю, пишу или...

Боркин. Я вас спрашиваю: рабочим нужно платить или нет? Э, да что с вами говорить!.. *(Машет рукой.)* Помещики тоже, черт подери, землевладельцы... Рациональное хозяйство... Тысяча десятин земли — и ни гроша в кармане... Винный погреб есть, а штопора нет... Возьму вот и продам завтра тройку! Да-с!.. Овес на корню продал, а завтра возьму и рожь продам. *(Шагает по сцене.)* Вы думаете, я стану церемониться? Да? Ну нет-с, не на такого напали...

II

Те же, Шабельский (за сценой) и Анна Петровна.

Голос Шабельского за окном: «Играть с вами нет никакой возможности... Слуха у вас меньше, чем у фаршированной щуки, а туше́ возмутительное».

Анна Петровна *(показывается в открытом окне).* Кто здесь сейчас разговаривал? Это вы, Миша? Что вы так шагаете?

Боркин. С вашим Nicolas-voilà еще не так зашагаешь.

Анна Петровна. Послушайте, Миша, прикажите принести на крокет сена.

Боркин *(машет рукой).* Оставьте вы меня, пожалуйста...

Анна Петровна. Скажите, какой тон... К вам этот тон совсем не идет. Если хотите, чтобы вас любили женщины, то никогда при них не сердитесь и не солидничайте... *(Мужу.)* Николай, давайте на сене кувыркаться!..

Иванов. Тебе, Анюта, вредно стоять у открытого окна. Уйди, пожалуйста... *(Кричит.)* Дядя, закрой окно!

Окно закрывается.

Боркин. Не забывайте еще, что через два дня нужно проценты платить Лебедеву.

Иванов. Я помню. Сегодня я буду у Лебедева и попрошу его подождать... *(Смотрит на часы.)*

Боркин. Вы когда туда поедете?

Иванов. Сейчас.

Боркин *(живо)*. Постойте, постойте!.. ведь сегодня, кажется, день рождения Шурочки... Те-те-те-те... А я забыл... Вот память, а? *(Прыгает.)* Поеду, поеду... *(Поет.)* Поеду... Пойду выкупаюсь, пожую бумаги, приму три капли нашатырного спирта и — хоть сначала начинай... Голубчик, Николай Алексеевич, мамуся моя, ангел души моей, вы всё нервничаете, ей-богу, ноете, постоянно в мерлехлюндии, а ведь мы, ей-богу, вместе черт знает каких делов могли бы наделать! Для вас я на все готов... Хотите, я для вас на Марфуше Бабакиной женюсь? Половина приданого ваша... То есть не половина, а всё берите, всё!..

Иванов. Будет вам вздор молоть...

Боркин. Нет, серьезно, ей-богу, хотите, я на Марфуше женюсь? Приданое пополам... Впрочем, зачем я это вам говорю? Разве вы поймете? *(Дразнит.)* «Будет вздор молоть». Хороший вы человек, умный, но в вас не хватает этой жилки, этого, понимаете ли, взмаха. Этак бы размахнуться, чтобы чертям тошно стало... Вы психопат, нюня, а будь вы нормальный человек, то через год имели бы миллион. Например, будь у меня сейчас две тысячи триста рублей, я бы через две недели имел двадцать тысяч. Не верите? И это, по-вашему, вздор? Нет, не вздор... Вот дайте мне две тысячи триста рублей, и я через неделю доставлю вам двадцать тысяч. На том берегу Овсянов продает полоску земли, как раз против нас, за две тысячи триста рублей. Если мы купим эту полоску, то оба берега будут наши. А если оба берега будут наши, то, понимаете ли, мы имеем право запрудить реку. Ведь так? Мы мельницу будем строить, и как только мы объявим, что хотим запруду сделать, так все, которые живут вниз по реке, поднимут гвалт, а мы сейчас: коммен зи гер[1], — если хотите, чтобы плотины не было, заплатите. Понимаете? Заревская фабрика даст пять тысяч, Корольков три тысячи, монастырь даст пять тысяч...

Иванов. Все это, Миша, фокусы... Если не хотите со мною ссориться, то держите их при себе.

Боркин *(садится за стол)*. Конечно!.. Я так и знал!.. И сами ничего не делаете, и меня связываете...

III

Те же, Шабельский и Львов.

Шабельский *(выходя со Львовым из дома)*. Доктора — те же адвокаты, с тою только разни-

---

[1] Идите-ка сюда (от *нем.* kommen Sie her).

цей, что адвокаты только грабят, а доктора и грабят, и убивают... Я не говорю о присутствующих. *(Садится на диванчик.)* Шарлатаны, эксплоататоры... Может быть, в какой-нибудь Аркадии попадаются исключения из общего правила, но... я в свою жизнь пролечил тысяч двадцать и не встретил ни одного доктора, который не казался бы мне патентованным мошенником.

Боркин *(Иванову).* Да, сами ничего не делаете и меня связываете. Оттого у нас и денег нет...

Шабельский. Повторяю, я не говорю о присутствующих... Может быть, есть исключения, хотя, впрочем... *(Зевает.)*

Иванов *(закрывая книгу).* Что, доктор, скажете?

Львов *(оглядываясь на окно).* То же, что и утром говорил: ей немедленно нужно в Крым ехать. *(Ходит по сцене.)*

Шабельский *(прыскает).* В Крым!.. Отчего, Миша, мы с тобою не лечим? Это так просто... Стала перхать или кашлять от скуки какая-нибудь мадам Анго или Офелия, бери сейчас бумагу и прописывай по правилам науки: сначала молодой доктор, потом поездка в Крым, в Крыму татарин...

Иванов *(графу).* Ах, не зуди ты, зуда! *(Львову.)* Чтобы ехать в Крым, нужны средства. Допустим, что я найду их, но ведь она решительно отказывается от этой поездки...

Львов. Да, отказывается.

Пауза.

Боркин. Послушайте, доктор, разве Анна Петровна уж так серьезно больна, что необходимо в Крым ехать?..

Львов *(оглядывается на окно)*. Да, чахотка...

Боркин. Псс!.. нехорошо... Я сам давно уже по лицу замечал, что она не протянет долго.

Львов. Но... говорите потише... в доме слышно...

Пауза.

Боркин *(вздыхая)*. Жизнь наша... Жизнь человеческая подобна цветку, пышно произрастающему в поле: пришел козел, съел и — нет цветка...

Шабельский. Все вздор, вздор и вздор!.. *(Зевает.)* Вздор и плутни.

Пауза.

Боркин. А я, господа, тут все учу Николая Алексеевича деньги наживать. Сообщил ему одну чудную идею, но мой порох, по обыкновению, упал на влажную почву. Ему не втолкуешь... Посмотрите, на что он похож: меланхолия, сплин, тоска, хандра, грусть...

Шабельский *(встает и потягивается)*. Для всех ты, гениальная башка, изобретаешь и учишь всех, как жить, а меня хоть бы раз поучил... Поучи-ка, умная голова, укажи выход...

Боркин *(встает)*. Пойду купаться... Прощайте, господа... *(Графу.)* У вас двадцать выходов есть... На вашем месте я через неделю имел бы тысяч двадцать. *(Идет.)*

Шабельский *(идет за ним)*. Каким это образом? Ну-ка, научи.

Боркин. Тут и учить нечему. Очень просто... *(Возвращается.)* Николай Алексеевич, дайте мне рубль!

Иванов молча дает ему деньги.

Merci! *(Графу.)* У вас еще много козырей на руках.

Шабельский *(идя за ним)*. Ну, какие же?

Боркин. На вашем месте я через неделю имел бы тысяч тридцать, если не больше. *(Уходит с графом.)*

Иванов *(после паузы)*. Лишние люди, лишние слова, необходимость отвечать на глупые вопросы — всё это, доктор, утомило меня до болезни. Я стал раздражителен, вспыльчив, резок, мелочен до того, что не узнаю себя. По целым дням у меня голова болит, бессонница, шум в ушах... А деваться положительно некуда... Положительно...

Львов. Мне, Николай Алексеевич, нужно серьезно поговорить с вами.

Иванов. Говорите.

Львов. Я об Анне Петровне. *(Садится.)* Она не соглашается ехать в Крым, но с вами она поехала бы.

Иванов *(подумав)*. Чтобы ехать вдвоем, нужны средства. К тому же, мне не дадут продолжительного отпуска. В этом году я уже брал раз отпуск...

Львов. Допустим, что это правда. Теперь далее. Самое главное лекарство от чахотки — это абсолютный покой, а ваша жена не знает ни минуты покоя. Ее постоянно волнуют ваши отношения к ней. Простите, я взволнован и буду говорить прямо. Ваше поведение убивает ее.

Пауза.

Николай Алексеевич, позвольте мне думать о вас лучше!..

Иванов. Все это правда, правда... Вероятно, я страшно виноват, но мысли мои перепутались, душа скована какою-то ленью, и я не в силах понимать себя. Не понимаю ни людей, ни себя... *(Взглядывает на окно.)* Нас могут услышать, пойдемте пройдемся.

Встают.

Я, милый друг, рассказал бы вам с самого начала, но история длинная и такая сложная, что до утра не расскажешь.

Идут.

Анюта замечательная, необыкновенная женщина... Ради меня она переменила веру, бросила отца и мать, ушла от богатства, и, если бы я потребовал еще сотню жертв, она принесла бы их, не моргнув глазом. Ну-с, а я ничем не замечателен и ничем не жертвовал. Впрочем, это длинная история... Вся суть в том, милый доктор *(мнется)*, что... короче говоря, женился я по страстной любви и клялся любить вечно, но... прошло пять лет, она все еще любит меня, а я... *(Разводит руками.)* Вы вот говорите мне, что она скоро умрет, а я не чувствую ни любви, ни жалости, а какую-то пустоту, утомление. Если со стороны поглядеть на меня, то это, вероятно, ужасно; сам же я не понимаю, что делается с моею душой...

Уходят по аллее.

IV

Шабельский, потом Анна Петровна.

Шабельский *(входит и хохочет)*. Честное слово, это не мошенник, а мыслитель, виртуоз! Памятник ему нужно поставить. В себе одном совмещает современный гной во всех видах: и адвоката, и доктора, и кукуевца, и кассира. *(Садится на нижнюю ступень террасы.)* И ведь нигде, кажется, курса не кончил, вот что удивительно... Стало быть, каким был бы гениальным подлецом, если бы еще усвоил культуру, гуманитарные науки! «Вы, говорит, через неделю можете иметь двадцать тысяч. У вас, говорит, еще на руках козырный туз — ваш графский титул. *(Хохочет.)* За вас любая девица пойдет с приданым...»

Анна Петровна открывает окно и глядит вниз.

«Хотите, говорит, посватаю за вас Марфушу?» Qui est ce que c'est[1] Марфуша? Ах, это та, Балабалкина... Бабакалкина... эта, что на прачку похожа.

Анна Петровна. Это вы, граф?

Шабельский. Что такое?

Анна Петровна смеется.

(Еврейским акцентом.) Зачиво вы шмеетесь?

Анна Петровна. Я вспомнила одну вашу фразу. Помните, вы говорили за обедом? Вор прощеный, лошадь... Как это?

Шабельский. Жид крещеный, вор прощеный, конь леченый — одна цена.

Анна Петровна *(смеется)*. Вы даже простого каламбура не можете сказать без злости. Злой вы человек... *(Серьезно.)* Не шутя, граф, вы очень злы. С вами жить скучно и жутко. Всегда вы брюзжите, ворчите, все у вас подлецы и негодяи. Скажите мне, граф, откровенно: говорили вы когда-нибудь о ком хорошо?

Шабельский. Это что за экзамен?

---

[1] Кто это *(фр.)*.

Анна Петровна. Живем мы с вами под одною крышей уже пять лет, и я ни разу не слыхала, чтобы вы отзывались о людях спокойно, без желчи и без смеха. Что вам люди сделали худого? И неужели вы думаете, что вы лучше всех?

Шабельский. Вовсе я этого не думаю. Я такой же мерзавец и свинья в ермолке, как и все. Моветон и старый башмак. Я всегда себя браню. Кто я? Что я? Был богат, свободен, немножко счастлив, а теперь... нахлебник, приживалка, обезличенный шут... Я негодую, презираю, а мне в ответ смеются; я смеюсь, на меня печально кивают головою и говорят: спятил старик... А чаще всего меня не слышат и не замечают...

Анна Петровна *(покойно)*. Опять кричит...

Шабельский. Кто кричит?

Анна Петровна. Сова. Каждый вечер кричит.

Шабельский. Пусть кричит. Хуже того, что уже есть, не может быть. *(Потягивается.)* Эх, милейшая Сарра, выиграй я сто или двести тысяч, показал бы я вам, где раки зимуют!.. Только бы вы меня и видели... Ушел бы я из этой ямы от даровых хлебов, и ни ногой бы сюда до самого страшного суда...

Анна Петровна. А что бы вы сделали, если бы выиграли?

Шабельский *(подумав)*. Я прежде всего поехал бы в Москву и цыган послушал. Потом... потом махнул бы в Париж. Нанял бы себе там квартиру, ходил бы в русскую церковь...

Анна Петровна. А еще что?

Шабельский. По целым дням сидел бы на жениной могиле и думал. Так бы я и сидел на могиле, пока не околел. Жена в Париже похоронена...

Пауза.

Анна Петровна. Ужасно скучно. Сыграть нам дуэт еще, что ли?

Шабельский. Хорошо, приготовьте ноты.

Анна Петровна уходит.

V

Шабельский, Иванов и Львов.

Иванов *(показывается на аллее со Львовым)*. Вы, милый друг, кончили курс только в прошлом году, еще молоды и бодры, а мне тридцать пять. Я имею право вам советовать. Не женитесь вы ни на еврейках, ни на психопатках, ни на синих чулках, а выбирайте себе что-нибудь заурядное, серенькое, без ярких красок, без лишних звуков. Вообще всю жизнь стройте по шаблону. Чем серее и монотоннее фон, тем лучше. Голубчик, не воюйте вы в одиночку с тысячами, не сражайтесь с мельницами, не бейтесь лбом о стены... Да хранит вас бог от всевозможных рациональных хозяйств, необыкновенных школ, горячих речей... Запритесь себе в свою раковину и делайте свое маленькое, богом данное дело... Это теплее, честнее и здоровее. А жизнь, которую я пережил, — как она утомительна! Ах, как утомительна!.. Сколько ошибок, несправедливостей, сколько нелепого... *(Увидев графа, раздраженно.)* Всегда ты, дядя, перед глазами вертишься, не даешь поговорить наедине!

Шабельский *(плачущим голосом)*. А черт меня возьми, нигде приюта нет! *(Вскакивает и идет в дом.)*

Иванов *(кричит ему вслед)*. Ну виноват, виноват! *(Львову.)* За что я его обидел? Нет, я решительно развинтился. Надо будет с собой что-нибудь сделать. Надо...

Львов *(волнуясь)*. Николай Алексеевич, я выслушал вас и... и, простите, буду говорить прямо, без обиняков. В вашем голосе, в вашей интонации, не говоря уж о словах, столько бездушного эгоизма, столько холодного бессердечия... Близкий вам человек погибает оттого, что он вам близок, дни его сочтены, а вы... вы можете не любить, ходить, давать советы, рисоваться... Не могу я вам высказать, нет у меня дара слова, но... но вы мне глубоко несимпатичны!..

Иванов. Может быть, может быть... Вам со стороны виднее... Очень возможно, что вы меня понимаете... Вероятно, я очень, очень виноват... *(Прислушивается.)* Кажется, лошадей подали. Пойду одеться... *(Идет к дому и останавливается.)* Вы, доктор, не любите меня и не скрываете этого. Это делает честь вашему сердцу... *(Уходит в дом.)*

Львов *(один)*. Проклятый характер... Опять упустил случай и не поговорил с ним как следует... Не могу говорить с ним хладнокровно! Едва раскрою рот и скажу одно слово, как у меня вот тут *(показывает на грудь)* начинает душить, переворачиваться, и язык прилипает к горлу. Ненавижу этого Тартюфа, возвышенного мошенника, всею душой... Вот уезжает... У несчастной жены все счастье в том, чтобы он был возле нее; она дышит им, умоляет его провести с нею хоть один вечер, а он... он не может... Ему, видите ли, дома душно и тесно. Если он хоть один вечер проведет дома, то с тоски пулю пустит себе в лоб. Бедный...

ему нужен простор, чтобы затеять какую-нибудь новую подлость... О, я знаю, зачем ты каждый вечер ездишь к этим Лебедевым! Знаю!

VI

Львов, Иванов (в шляпе и пальто), Шабельский и Анна Петровна.

Шабельский *(выходя с Ивановым и с Анной Петровной из дому).* Наконец, Nicolas, это бесчеловечно!.. Сам уезжаешь каждый вечер, а мы остаемся одни. От скуки ложимся спать в восемь часов. Это безобразие, а не жизнь! И почему это тебе можно ездить, а нам нельзя? Почему?

Анна Петровна. Граф, оставьте его! Пусть едет, пусть...

Иванов *(жене).* Ну куда ты, больная, поедешь? Ты больна, и тебе нельзя после заката солнца быть на воздухе... Спроси вот доктора. Ты не дитя, Анюта, нужно рассуждать... *(Графу.)* А тебе зачем туда ехать?

Шабельский. Хоть к черту в пекло, хоть к крокодилу в зубы, только чтоб не здесь оставаться. Мне скучно! Я отупел от скуки! Я надоел всем. Ты оставляешь меня дома, чтобы ей не было одной скучно, а я ее загрыз, заел!

Анна Петровна. Оставьте его, граф, оставьте! Пусть едет, если ему там весело.

Иванов. Аня, к чему этот тон? Ты знаешь, я не за весельем туда еду! Мне нужно поговорить о векселе.

Анна Петровна. Не понимаю, зачем ты оправдываешься? Поезжай! Кто тебя держит?

Иванов. Господа, не будемте есть друг друга! Неужели это так необходимо!?

Шабельский *(плачущим голосом).* Nicolas, голубчик, ну я прошу тебя, возьми меня с собою! Я погляжу там мошенников и дураков и, может быть, развлекусь! Ведь я с самой Пасхи нигде не был!

Иванов *(раздраженно).* Хорошо, поедем! Как вы мне все надоели!

Шабельский. Да? Ну merci, merci... *(Весело берет его под руку и отводит в сторону.)* Твою соломенную шляпу можно надеть?

Иванов. Можно, только поскорей, пожалуйста!

Граф бежит в дом.

Как вы все надоели мне! Впрочем, господи, что я говорю? Аня, я говорю с тобою невозможным тоном. Никогда этого со мною раньше не было. Ну, прощай, Аня, я вернусь к часу.

Анна Петровна. Коля, милый мой, останься дома!

Иванов *(волнуясь).* Голубушка моя, родная моя, несчастная, умоляю тебя, не мешай мне уезжать по вечерам из дому. Это жестоко, несправедливо с моей стороны, но позволяй мне делать эту несправедливость! Дома мне мучительно тяжело! Как только прячется солнце, душу мою начинает давить тоска! Не спрашивай, отчего это. Я сам не знаю. Клянусь истинным богом, не знаю! Здесь тоска, а поедешь к Лебедевым, там еще хуже; вернешься оттуда, а здесь опять тоска, и так всю ночь... Просто отчаяние!..

Анна Петровна. Коля... а то остался бы! Будем, как прежде, разговаривать... Поужинаем вместе, будем читать... Я и брюзга разучили для тебя много дуэтов... *(Обнимает его.)* Останься!..

Пауза.

Я тебя не понимаю. Это уж целый год продолжается. Отчего ты изменился?

Иванов. Не знаю, не знаю.

Анна Петровна. А почему ты не хочешь, чтобы я уезжала вместе с тобою по вечерам?

Иванов. Если тебе нужно, то, пожалуй, скажу. Немножко жестоко это говорить, но лучше сказать... Когда меня мучает тоска, я... я начинаю тебя не любить. Я и от тебя бегу в это время. Одним словом, мне нужно уезжать из дому.

Анна Петровна. Тоска? понимаю, понимаю... Знаешь что, Коля? Ты попробуй, как прежде, петь, смеяться, сердиться... Останься, будем смеяться, пить наливку и твою тоску разгоним в одну минуту. Хочешь, я буду петь? Или пойдем сядем у тебя в кабинете, в потемках, как прежде, и ты мне про свою тоску расскажешь... У тебя такие страдальческие глаза! Я буду глядеть в них и плакать, и нам обоим станет легче... *(Смеется и плачет.)* Или, Коля, как? Цветы повторяются каждую весну, а радости — нет? Да? Ну поезжай, поезжай...

Иванов. Ты молись за меня богу, Аня! *(Идет, останавливается и думает.)* Нет, не могу!.. *(Уходит.)*

Анна Петровна. Поезжай... *(Садится у стола.)*

Львов *(ходит по сцене)*. Анна Петровна, возьмите себе за правило: как только бьет шесть часов, вы должны идти в комнаты и не выходить до самого утра. Вечерняя сырость вредна вам.

Анна Петровна. Слушаю-с.

Львов. Что «слушаю-с»! Я говорю серьезно.

Анна Петровна. А я не хочу быть серьезною. *(Кашляет.)*

Львов. Вот видите, — вы уже кашляете...

VII

Львов, Анна Петровна и Шабельский.

Шабельский *(в шляпе и пальто выходит из дому)*. А где Николай? Лошадей подали? *(Быстро идет и целует руку Анне Петровне.)* Покойной ночи, прелесть! *(Гримасничает.)* Гевалт! Жвините, пожалуста! *(Быстро уходит.)*

Львов. Шут!

Пауза; слышны далекие звуки гармоники.

Анна Петровна. Какая скука!.. Вон кучера и кухарки задают себе бал, а я... я — как брошенная... Евгений Константинович, где вы там шагаете? Идите сюда, сядьте!..

Львов. Не могу я сидеть...

Пауза.

Анна Петровна. На кухне «чижика» играют. *(Поет.)* «Чижик, чижик, где ты был? Под горою водку пил».

Пауза.

Доктор, у вас есть отец и мать?

Львов. Отец умер, а мать есть.

Анна Петровна. Вы скучаете по матери?

Львов. Мне некогда скучать.

Анна Петровна *(смеется)*. Цветы повторяются каждую весну, а радости — нет. Кто мне сказал эту фразу? Дай бог память... Кажется, сам Николай сказал. *(Прислушивается.)* Опять сова кричит!

Львов. Ну и пусть кричит.

Анна Петровна. Я, доктор, начинаю думать, что судьба меня обсчитала. Множество людей, которые, может быть, и не лучше меня, бывают счастливы и ничего не платят за свое счастье. Я же за все заплатила, решительно за все!.. И как дорого! За что брать с меня такие ужасные проценты?.. Душа моя, вы все осторожны со мною, деликатничаете, боитесь сказать правду, но думаете, я не знаю, какая у меня болезнь? Отлично знаю. Впрочем, скучно об этом говорить... *(Еврейским акцентом.)* Жвините, пожалуста! Вы умеете рассказывать смешные анекдоты?

Львов. Не умею.

Анна Петровна. А Николай умеет. И начинаю я также удивляться несправедливости людей: почему на любовь не отвечают любовью и за правду платят ложью? Скажите, до каких пор будут ненавидеть меня отец и мать? Они живут за пятьдесят верст отсюда, а я день и ночь, даже во сне, чувствую их ненависть. А как прикажете понимать тоску Николая? Он говорит, что не любит меня только по вечерам, когда его гнетет тоска. Это я понимаю и допускаю, но представьте, что он разлюбил меня совершенно! Конечно, это невозможно, ну — а вдруг? Нет, нет, об этом и думать даже не надо. *(Поет.)* «Чижик, чижик, где ты был?..» *(Вздрагивает.)* Какие у меня страшные мысли!.. Вы, доктор, не семейный и не можете понять многого...

Львов. Вы удивляетесь... *(Садится рядом.)* Нет, я... я удивляюсь, удивляюсь вам! Ну объясните, растолкуйте мне, как это вы, умная, честная, почти святая, позволили так нагло обмануть себя и затащить вас в это совиное гнездо? Зачем вы здесь? Что общего у вас с этим холодным, бездушным... но оставим вашего мужа! — что у вас общего с этою пустою, пошлою средой? О, господи боже мой!.. Этот вечно брюзжащий, заржавленный, сумасшедший граф, этот пройдоха, мошенник из мошенников, Миша со своею гнусною физиономией... Объясните же мне, к чему вы здесь? Как вы сюда попали?

Анна Петровна *(смеется)*. Вот точно так же и он когда-то говорил... Точь-в-точь... Но у него глаза больше, и, бывало, как он начнет говорить о чем-нибудь горячо, так они как угли... Говорите, говорите!..

Львов *(встает и машет рукой)*. Что мне говорить? Идите в комнаты...

Анна Петровна. Вы говорите, что Николай то да сё, пятое, десятое. Откуда вы его знаете? Разве за полгода можно узнать человека? Это, доктор, замечательный человек, и я жалею, что вы не знали его года два-три тому назад. Он теперь хандрит, молчит, ничего не делает, но прежде... Какая прелесть!.. Я полюбила его с первого взгляда. *(Смеется.)* Взглянула, а меня мышеловка — хлоп! Он сказал: пойдем... Я отрезала от себя всё, как, знаете, отрезают гнилые листья ножницами, и пошла...

Пауза.

А теперь не то... Теперь он едет к Лебедевым, чтобы развлечься с другими женщинами, а я... сижу в саду и слушаю, как сова кричит...

Стук сторожа.

Доктор, а братьев у вас нет?

Львов. Нет.

Анна Петровна рыдает.

Ну что еще? Что вам?

Анна Петровна *(встает)*. Я не могу, доктор, я поеду туда...

Львов. Куда это?

Анна Петровна. Туда, где он... Я поеду... Прикажите заложить лошадей... *(Идет к дому.)*

Львов. Вам нельзя ехать...

Анна Петровна. Оставьте меня, не ваше дело... Я не могу, поеду... Велите дать лошадей... *(Бежит в дом.)*

Львов. Нет, я решительно отказываюсь лечить при таких условиях... Мало того, что ни копейки не платят, но еще душу выворачивают вверх дном!.. Нет, я отказываюсь! Довольно!.. *(Идет в дом.)*

Занавес

ДЕЙСТВИЕ ВТОРОЕ

Зал в доме Лебедевых; прямо выход в сад; направо и налево двери. Старинная, дорогая мебель. Люстра, канделябры и картины — все это в чехлах.

I

Зинаида Савишна, 1-й гость, 2-й гость, 3-й гость, Косых, Авдотья Назаровна, Егорушка, Гаврила, горничная, старухи-гостьи, барышни и Бабакина.

Зинаида Савишна сидит на диване. По обе стороны ее на креслах старухи-гостьи; на стульях молодежь. В глубине, около выхода в сад, играют в карты; между играющими: Косых, Авдотья Назаровна и Егорушка. Гаврила стоит у правой двери; горничная разносит на подносе лакомства. Из сада в правую дверь и обратно в продолжение всего действия циркулируют гости.

Бабакина выходит из правой двери и направляется к Зинаиде Савишне.

Зинаида Савишна *(радостно)*. Душечка, Марфа Егоровна...

Бабакина. Здравствуйте, Зинаида Савишна! Честь имею вас поздравить с новорожденною...

Целуются.

Дай бог, чтоб...

Зинаида Савишна. Благодарю вас, душечка, я так рада... Ну, как ваше здоровье?..

Бабакина. Очень вами благодарна. *(Садится рядом на диван.)* Здравствуйте, молодые люди!..

Гости встают и кланяются.

1-й гость *(смеется)*. Молодые люди... а вы разве старая?

Бабакина *(вздыхая)*. Где уж нам в молодые лезть...

1-й гость *(почтительно смеясь)*. Помилуйте, что вы... Одно только звание, что вдова, а вы любой девице можете десять очков вперед дать...

Гаврила подносит Бабакиной чай.

Зинаида Савишна *(Гавриле)*. Что же ты так подаешь? Принес бы какого-нибудь варенья. Кружовенного, что ли...

Бабакина. Не беспокойтесь, очень вами благодарна...

Пауза.

1-й гость. Вы, Марфа Егоровна, через Мушкино ехали?

Бабакина. Нет, на Займище. Тут дорога лучше...

1-й гость. Так-с...

Косых. Два пики.

Егорушка. Пас.

Авдотья Назаровна. Пас.

2-й гость. Пас.

Бабакина. Выигрышные билеты, душечка Зинаида Савишна, опять пошли шибко в гору. Видано ли дело: первый заем стоит уж двести семьдесят, а второй без малого двести пятьдесят... Никогда этого не было...

Зинаида Савишна *(вздыхает)*. Хорошо, у кого их много...

Бабакина. Не скажите, душечка; хоть они и в большой цене, а держать в них капитал невыгодно. Одна страховка сживет со света.

Зинаида Савишна. Так-то так, а все-таки, моя милая, надеешься... *(Вздыхает.)* Бог милостив...

3-й гость. С моей точки зрения, mesdames, я так рассуждаю, что в настоящее время иметь капитал очень невыгодно. Процентные бумаги дают весьма немного дивиденда, а пускать деньги в оборот чрезвычайно опасно. Я так понимаю, mesdames, что человек, который в настоящее время имеет капитал, находится более в критическом положении, чем тот, mesdames, который...

Бабакина *(вздыхает)*. Это верно!

1-й гость зевает.

А разве можно при дамах зевать?

1-й гость. Pardon, mesdames, это я нечаянно.

Зинаида Савишна встает и уходит в правую дверь; продолжительное молчание.

Егорушка. Два бубны.

Авдотья Назаровна. Пас.

2-й гость. Пас.

Косых. Пас.

Бабакина *(в сторону)*. Господи, какая скука, помереть можно!

II

Те же, Зинаида Савишна и Лебедев.

Зинаида Савишна *(выходя из правой двери с Лебедевым, тихо)*. Что уселся там? Примадонна какая! Сиди с гостями! *(Садится на прежнее место.)*

Лебедев *(зевает)*. Ох, грехи наши тяжкие! *(Увидев Бабакину.)* Батюшки, мармелад сидит! Рахат-лукум! *(Здоровается.)* Как наше драгоценнейшее?..

Бабакина. Очень вами благодарна.

Лебедев. Ну слава богу!.. Слава богу! *(Садится в кресло.)* Так, так... Гаврила!..

Гаврила подносит ему рюмку водки и стакан воды; он выпивает водку и запивает водой.

1-й гость. На доброе здоровье!

Лебедев. Какое уж тут доброе здоровье!.. Околеванца нет, и на том спасибо. *(Жене.)* Зюзюшка, а где же наша новорожденная?

Косых *(плаксиво)*. Скажите мне, ради бога: ну за что мы остались без взятки? *(Вскакива-*

ет.) Ну за что мы проиграли, черт меня подери совсем?

Авдотья Назаровна *(вскакивает и сердито)*. А за то, что если ты, батюшка, не умеешь играть, так не садись. Какое ты имеешь полное право ходить в чужую масть? Вот и остался у тебя маринованный туз!..

Оба бегут из-за стола вперед.

Косых *(плачущим голосом)*. Позвольте, господа... У меня на бубнах: туз, король, дама, коронка сам-восемь, туз пик и одна, понимаете ли, одна маленькая червонка, а она, черт знает, не могла объявить маленький шлем!.. Я сказал: без козыря...

Авдотья Назаровна *(перебивая)*. Это я сказала: без козыря! Ты сказал: два без козыря...

Косых. Это возмутительно!.. Позвольте... у вас... у меня... у вас... *(Лебедеву.)* Да вы посудите, Павел Кириллыч... У меня на бубнах: туз, король, дама, коронка сам-восемь...

Лебедев *(затыкает уши)*. Отстань, сделай милость... отстань...

Авдотья Назаровна *(кричит)*. Это я сказала: без козыря!

Косых *(свирепо)*. Будь я подлец и анафема, если я сяду еще когда-нибудь играть с этой севрюгой!.. *(Быстро уходит в сад.)*

2-й гость уходит за ним, за столом остается Егорушка.

Авдотья Назаровна. Уф!.. даже в жар от него бросило... Севрюга!.. Сам ты севрюга!..

Бабакина. Да и вы, бабушка, сердитая...

Авдотья Назаровна *(увидев Бабакину, всплескивает руками)*. Ясочка моя, красавица!..

Она здесь, а я, куриная слепота, и не вижу... Голубочка... *(Целует ее в плечо и садится рядом.)* Вот радость! Дай же я на тебя погляжу, лебедь белая! Тьфу, тьфу, тьфу... чтоб не сглазить!..

Лебедев. Ну, распелась... Жениха бы ей лучше подыскала...

Авдотья Назаровна. И найду! В гроб, грешница, не лягу, а ее да Саничку замуж выдам!.. В гроб не лягу... *(Вздох.)* Только вот где их найдешь нынче, женихов-то? Вон они, наши женихи-то, сидят, нахохлившись, словно петухи мокрые!..

3-й гость. Весьма неудачное сравнение. С моей точки зрения, mesdames, если теперешние молодые люди предпочитают холостую жизнь, то в этом виноваты, так сказать, социальные условия...

Лебедев. Ну, ну!.. не философствуй!.. не люблю!..

III

Те же и Саша.

Саша *(входит и идет к отцу)*. Такая великолепная погода, а вы сидите здесь, господа, в духоте.

Зинаида Савишна. Сашенька, разве ты не видишь, что у нас Марфа Егоровна?

Саша. Виновата. *(Идет к Бабакиной и здоровается.)*

Бабакина. Загорделась, Саничка, загорделась, хоть бы разок приехала. *(Целуется.)* Поздравляю, душечка...

Саша. Благодарю. *(Садится рядом с отцом.)*

Лебедев. Да, Авдотья Назаровна, трудно теперь с женихами. Не то что жениха — путевых шаферов достать негде. Нынешняя молодежь, не в обиду будь сказано, какая-то, господь с нею, кислая, переваренная... Ни поплясать, ни поговорить, ни выпить толком...

Авдотья Назаровна. Ну, пить-то они все мастера, только дай...

Лебедев. Не велика штука пить — пить и лошадь умеет... Нет, ты с толком выпей!.. В наше время, бывало, день-деньской с лекциями бьешься, а как только настал вечер, идешь прямо куда-нибудь на огонь и до самой зари волчком вертишься... И пляшешь, и барышень забавляешь, и эта штука. *(Щелкает себя по шее.)* Бывало, и брешешь, и философствуешь, пока язык не отнимется... А нынешние... *(Машет рукой.)* Не понимаю... Ни богу свечка, ни черту кочерга. Во всем уезде есть только один путевый малый, да и тот женат *(вздыхает)* и, кажется, уж беситься стал...

Бабакина. Кто это?

Лебедев. Николаша Иванов.

Бабакина. Да, он хороший мужчина *(делает гримасу)*, только несчастный!

Зинаида Савишна. Еще бы, душечка, быть ему счастливым! *(Вздыхает.)* Как он, бедный, ошибся!.. Женился на своей жидовке и так, бедный, рассчитывал, что отец и мать за нею золотые горы дадут, а вышло совсем напротив... С того времени, как она переменила веру, отец и мать знать ее не хотят, прокляли... Так ни копейки и не получил. Теперь кается, да уж поздно...

Саша. Мама, это неправда.

Бабакина *(горячо)*. Шурочка, как же неправда? Ведь это все знают. Ежели не было бы интереса, то зачем бы ему на еврейке жениться?

Разве русских мало? Ошибся, душечка, ошибся... *(Живо.)* Господи, да и достается же теперь ей от него! Просто смех один. Придет откуда-нибудь домой и сейчас к ней: «Твой отец и мать меня надули! Пошла вон из моего дома!» А куда ей идти? Отец и мать не примут; пошла бы в горничные, да работать не приучена... Уж он мудрует-мудрует над нею, пока граф не вступится. Не будь графа, давно бы ее со света сжил...

Авдотья Назаровна. А то, бывает, запрет ее в погреб и — «ешь, такая-сякая, чеснок»... Ест-ест, покуда из души переть не начнет.

Смех.

Саша. Папа, ведь это ложь!

Лебедев. Ну так что же? Пусть себе мелют на здоровье... *(Кричит.)* Гаврила!..

Гаврила подает ему водку и воду.

Зинаида Савишна. Оттого вот и разорился, бедный. Дела, душечка, совсем упали... Если бы Боркин не глядел за хозяйством, так ему бы с жидовкой есть нечего было. *(Вздыхает.)* А как мы-то, душечка, из-за него-то пострадали!.. Так пострадали, что один только бог видит! Верите ли, милая, уж три года, как он нам девять тысяч должен!

Бабакина *(с ужасом)*. Девять тысяч!..

Зинаида Савишна. Да... это мой милый Пашенька распорядился дать ему. Не разбирает, кому можно дать, кому нельзя... Про капитал я уже не говорю — бог с ним, но лишь бы проценты исправно платил!..

Саша *(горячо)*. Мама, об этом вы говорили уже тысячу раз!

Зинаида Савишна. Тебе-то что? Что ты заступаешься?

Саша *(встает)*. Но как у вас хватает духа говорить все это про человека, который не сделал вам никакого зла? Ну что он вам сделал?

3-й гость. Александра Павловна, позвольте мне сказать два слова! Я уважаю Николая Алексеича и всегда считал за честь, но, говоря entre nous[1], он мне кажется авантюристом.

Саша. И поздравляю, если вам так кажется.

3-й гость. В доказательство приведу вам следующий факт, который передавал мне его атташе, или, так сказать, чичероне Боркин. Два года тому назад, во время скотской эпизоотии, он накупил скота, застраховал его...

Зинаида Савишна. Да, да, да! Я помню этот случай. Мне тоже говорили.

3-й гость. Застраховал его, можете иметь в виду, потом заразил чумой и взял страховую премию.

Саша. Ах, да вздор все это! Вздор! Никто не покупал и не заражал скота! Это сам Боркин сочинил такой проект и везде хвастался им. Когда Иванов узнал об этом, то Боркин потом у него две недели прощения просил. Виноват же Иванов только, что у него слабый характер и не хватает духа прогнать от себя Боркина, и виноват, что он слишком верит людям! Все, что у него было, растащили, расхитили; около его великодушных затей наживался всякий, кто только хотел.

Лебедев. Шура-горячка! Будет тебе!

Саша. Зачем же они говорят вздор? Ах, да все это скучно и скучно! Иванов, Иванов, Ива-

---

[1] Между нами *(фр.)*.

нов — и больше нет разговоров. *(Идет к двери и возвращается.)* Удивляюсь! *(Молодым людям.)* Положительно удивляюсь вашему терпению, господа! Неужели вам не скучно так сидеть? Ведь воздух застыл от тоски! Говорите же что-нибудь, забавляйте барышень, шевелитесь! Ну, если у вас нет других сюжетов, кроме Иванова, то смейтесь, пойте, пляшите, что ли...

Лебедев *(смеется)*. Пробери-ка, пробери их хорошенько!

Саша. Ну послушайте, сделайте мне такое одолжение! Если не хотите плясать, смеяться, петь, если все это скучно, то прошу вас, умоляю, хоть раз в жизни, для курьеза, чтобы удивить или насмешить, соберите силы и все разом придумайте что-нибудь остроумное, блестящее, скажите хоть дерзость или пошлость, но чтоб было смешно и ново! Или все разом совершите что-нибудь маленькое, чуть заметное, но хоть немного похожее на подвиг, чтоб барышни хоть раз в жизни, глядя на вас, могли бы сказать: «Ах!» Послушайте, ведь вы желаете нравиться, но почему же вы не стараетесь нравиться? Ах, господа! Все вы не то, не то, не то!.. На вас глядя, мухи мрут и лампы начинают коптеть. Не то, не то!.. Тысячу раз я вам говорила и всегда буду говорить, что все вы не то, не то, не то!..

IV

Те же, Иванов и Шабельский.

Шабельский *(входя с Ивановым из правой двери)*. Кто это здесь декламирует? Вы, Шурочка? *(Хохочет и пожимает ей руку.)* Поздравляю, ангел мой. Дай вам бог попозже умереть и не рождаться во второй раз...

Зинаида Савишна *(радостно)*. Николай Алексеевич, граф!..

Лебедев. Ба! Кого вижу... граф! *(Идет навстречу.)*

Шабельский *(увидав Зинаиду Савишну и Бабакину, протягивает в сторону их руки)*. Два банка на одном диване!.. Глядеть любо! *(Здоровается; Зинаиде Савишне.)* Здравствуйте, Зюзюшка! *(Бабакиной.)* Здравствуйте, помпончик!..

Зинаида Савишна. Я так рада. Вы, граф, у нас такой редкий гость! *(Кричит.)* Гаврила, чаю! Садитесь, пожалуйста! *(Встает, уходит в правую дверь и тотчас же возвращается; вид крайне озабоченный.)*

Саша садится на прежнее место. Иванов молча здоровается со всеми.

Лебедев *(Шабельскому)*. Откуда ты взялся? Какие это силы тебя принесли? Вот сюрприз, накажи меня бог... *(Целует его.)* Граф, ведь ты разбойник! Так не делают порядочные люди! *(Ведет его за руку к рампе.)* Отчего ты у нас не бываешь? Сердит, что ли?

Шабельский. На чем же я могу к тебе ездить? Верхом на палке? Своих лошадей у меня нет, а Николай не берет с собою, велит с Саррой сидеть, чтоб та не скучала. Присылай за мною своих лошадей, тогда и буду ездить...

Лебедев *(машет рукой)*. Ну да!.. Зюзюшка скорее треснет, чем даст лошадей. Голубчик ты мой, милый, ведь ты для меня дороже и роднее всех! Из всего старья уцелели я да ты! Люблю в тебе я прежние страдания и молодость погибшую мою... Шутки шутками, а я вот почти плачу. *(Целует графа.)*

Шабельский. Пусти, пусти! От тебя как из винного погреба...

Лебедев. Душа моя, ты не можешь себе представить, как мне скучно без моих друзей! Вешаться готов с тоски... *(Тихо.)* Зюзюшка со своею ссудною кассой разогнала всех порядочных людей, и остались, как видишь, одни только зулусы... эти Дудкины, Будкины... Ну, кушай чай...

Гаврила подносит графу чай.

Зинаида Савишна *(озабоченно Гавриле)*. Ну как же ты подаешь? Принес бы какого-нибудь варенья... Кружовенного, что ли...

Шабельский *(хохочет; Иванову)*. Что, не говорил я тебе? *(Лебедеву.)* Я с ним пари дорогой держал, что, как приедем, Зюзюшка сейчас же начнет угощать нас кружовенным вареньем...

Зинаида Савишна. Вы, граф, все такой же насмешник... *(Садится.)*

Лебедев. Двадцать бочек его наварили, так куда же его девать?

Шабельский *(садясь около стола)*. Всё копите, Зюзюшка? Ну что, уж миллиончик есть, а?

Зинаида Савишна *(со вздохом)*. Да, со стороны поглядеть, так богаче нас и людей нет, а откуда быть деньгам? Один разговор только...

Шабельский. Ну да, да!.. знаем!.. Знаем, как вы плохо в шашки играете... *(Лебедеву.)* Паша, скажи по совести: скопили миллион?

Лебедев. Ей-богу не знаю, это у Зюзюшки спроси...

Шабельский *(Бабакиной)*. И у жирненького помпончика скоро будет миллиончик! Ей-богу, хорошеет и полнеет не по дням, а по часам! Что значит деньжищ много...

Бабакина. Очень вами благодарна, ваше сиятельство, а только я не люблю насмешек.

Шабельский. Милый мой банк, да разве это насмешки? Это просто вопль души, от избытка чувств глаголят уста... Вас и Зюзюшку я люблю бесконечно... *(Весело.)* Восторг!.. Упоение!.. Вас обеих не могу видеть равнодушно...

Зинаида Савишна. Вы все такой же, как и были. *(Егорушке.)* Егорушка, потуши свечи! Зачем им гореть попусту, если не играете?

Егорушка вздрагивает; тушит свечи и садится.

(Иванову.) Николай Алексеевич, как здоровье вашей супруги?

Иванов. Плохо. Сегодня доктор положительно сказал, что у нее чахотка...

Зинаида Савишна. Неужели? Какая жалость!.. *(Вздох.)* А мы все ее так любим...

Шабельский. Вздор, вздор и вздор!.. Никакой чахотки нет, докторское шарлатанство, фокус... Хочется эскулапу шляться, вот и выдумал чахотку. Благо муж не ревнив. *(Иванов делает нетерпеливое движение.)* А что касается самой Сарры, то я не верю ни одному ее слову, ни одному движению. В своей жизни я никогда не верил ни докторам, ни адвокатам, ни женщинам. Вздор, вздор, шарлатанство и фокусы!

Лебедев *(Шабельскому)*. Удивительный ты субъект, Матвей!.. Напустил на себя какую-то мизантропию и носится с нею, как дурак с писаною торбой. Человек как человек, а заговоришь, так точно у тебя типун на языке или сплошной катар... Да, ей-богу!..

Шабельский. Что же мне, целоваться с мошенниками и подлецами, что ли?

Лебедев. Где же ты видишь мошенников и подлецов?

Шабельский. Я, конечно, не говорю о присутствующих, но...

Лебедев. Вот тебе и но... Все это напускное.

Шабельский. Напускное... Хорошо, что у тебя никакого мировоззрения нет.

Лебедев. Какое мое мировоззрение? Сижу и каждую минуту околеванца жду. Вот мое мировоззрение. Нам, брат, не время с тобою о мировоззрениях думать. Так-то... *(Кричит.)* Гаврила!

Шабельский. Ты уж и так нагаврилился... Погляди, как нос насандалил!

Лебедев *(пьет)*. Ничего, душа моя... не венчаться мне ехать...

Зинаида Савишна. Давно уже у нас доктор Львов не был. Совсем забыл.

Саша. Моя антипатия. Ходячая честность. Воды не попросит, папиросы не закурит без того, чтобы не показать своей необыкновенной честности. Ходит или говорит, а у самого на лбу написано: я честный человек! Скучно с ним.

Шабельский. Узкий, прямолинейный лекарь! *(Дразнит.)* «Дорогу честному труду!» Орет на каждом шагу, как попугай, и думает, что в самом деле второй Добролюбов. Кто не орет, тот подлец. Взгляды удивительные по своей глубине. Если мужик зажиточный и живет по-человечески, то, значит, подлец и кулак. Я хожу в бархатном пиджаке, и одевает меня лакей — я подлец и крепостник. Так честен, так честен, что всего распирает от честности. Места себе не находит. Я даже боюсь его... Ей-ей!.. Того и гляди, что из чувства долга по рылу хватит или подлеца пустит.

Иванов. Он меня ужасно утомил, но все-таки мне симпатичен; в нем много искренности.

Шабельский. Хороша искренность! Подходит вчера ко мне вечером и ни с того ни с сего: «Вы, граф, мне глубоко несимпатичны!» Покорнейше благодарю! И все это не просто, а с тенденцией: и голос дрожит, и глаза горят, и поджилки трясутся... Черт бы побрал эту деревянную искренность! Ну, я противен ему, гадок, это естественно... я и сам сознаю, но к чему говорить это в лицо? Я дрянной человек, но ведь у меня, как бы то ни было, седые волосы... Бездарная, безжалостная честность!

Лебедев. Ну, ну, ну!.. Сам небось был молодым и понимаешь.

Шабельский. Да, я был молод и глуп, в свое время разыгрывал Чацкого, обличал мерзавцев и мошенников, но никогда в жизни я воров не называл в лицо ворами и в доме повешенного не говорил о веревке. Я был воспитан. А ваш этот тупой лекарь почувствовал бы себя на высоте своей задачи и на седьмом небе, если бы судьба дала ему случай, во имя принципа и общечеловеческих идеалов, хватить меня публично по рылу и под микитки.

Лебедев. Молодые люди все с норовом. У меня дядя гегелианец был... так тот, бывало, соберет к себе гостей полон дом, выпьет, станет вот этак на стул и начинает: «Вы невежды! Вы мрачная сила! Заря новой жизни!» Та-та, та-та, та-та... Уж он отчитывает-отчитывает...

Саша. А гости что же?

Лебедев. А ничего... Слушают да пьют себе. Раз, впрочем, я его на дуэль вызвал... дядю-то родного. Из-за Бэкона вышло. Помню, сидел я, дай бог память, вот так, как Матвей, а дядя с покойным Герасимом Нилычем стояли вот тут примерно, где Николаша... Ну-с, Герасим Нилыч и задает, братец ты мой, вопрос...

Входит Боркин.

V

Те же и Боркин (одетый франтом, со свертком в руках, подпрыгивая и напевая, входит из правой двери. Гул одобрения).

Барышни. Михаил Михайлович!..
Лебедев. Мишель Мишелич! Слыхом слыхать...
Шабельский. Душа общества!

Боркин. А вот и я! *(Подбегает к Саше.)* Благородная синьорина, беру на себя смелость поздравить вселенную с рождением такого чудного цветка, как вы... Как дань своего восторга, осмеливаюсь преподнести *(подает сверток)* фейерверки и бенгальские огни собственного изделия. Да проясняют они ночь так же, как вы просветляете потемки темного царства. *(Театрально раскланивается.)*

Саша. Благодарю вас...

Лебедев *(хохочет, Иванову)*. Отчего ты не прогонишь эту Иуду?

Боркин *(Лебедеву)*. Павлу Кириллычу! *(Иванову.)* Патрону... *(Поет.)* Nicolas-voilà, го-ги-го! *(Обходит всех.)* Почтеннейшей Зинаиде

Савишне... Божественной Марфе Егоровне... Древнейшей Авдотье Назаровне... Сиятельнейшему графу...

Шабельский *(хохочет)*. Душа общества... Едва вошел, как атмосфера стала жиже... Вы замечаете?

Боркин. Уф, утомился... Кажется, со всеми здоровался. Ну, что новенького, господа? Нет ли чего-нибудь такого особенного, в нос шибающего? *(Живо Зинаиде Савишне.)* Ах, послушайте, мамаша... Еду сейчас к вам... *(Гавриле.)* Дай-ка мне, Гаврюша, чаю, только без крыжовенного варенья! *(Зинаиде Савишне.)* Еду сейчас к вам, а на реке у вас мужики с лозняка кору дерут. Отчего вы лозняк на откуп не отдадите?

Лебедев *(Иванову)*. Отчего ты не прогонишь эту Иуду?

Зинаида Савишна *(испуганно)*. А ведь это правда, мне и на ум не приходило!..

Боркин *(делает ручную гимнастику)*. Не могу без движений... Мамаша, что бы такое особенное выкинуть? Марфа Егоровна, я в ударе... Я экзальтирован! *(Поет.)* «Я вновь пред тобою...»

Зинаида Савишна. Устройте что-нибудь, а то все соскучились.

Боркин. Господа, что же это вы в самом деле носы повесили? Сидят, точно присяжные заседатели!.. Давайте изобразим что-нибудь. Что хотите? Фанты, веревочку, горелки, танцы, фейерверки?

Барышни *(хлопают в ладоши)*. Фейерверки, фейерверки! *(Бегут в сад.)*

Саша *(Иванову)*. Что вы сегодня такой скучный?..

Иванов. Голова болит, Шурочка, да и скучно...

С а ш а. Пойдемте в гостиную.

Идут в правую дверь; уходят в сад в с е, кроме Зинаиды Савишны и Лебедева.

З и н а и д а С а в и ш н а. Вот это я понимаю — молодой человек: и минуты не побыл, а уж всех развеселил. *(Притушивает большую лампу.)* Пока они все в саду, нечего свечам даром гореть. *(Тушит свечи.)*

Л е б е д е в *(идя за нею)*. Зюзюшка, надо бы дать гостям закусить чего-нибудь...

З и н а и д а С а в и ш н а. Ишь свечей сколько... недаром люди судят, что мы богатые. *(Тушит.)*

Л е б е д е в *(идя за нею)*. Зюзюшка, ей-богу, дала бы чего-нибудь поесть людям... Люди молодые, небось проголодались, бедные... Зюзюшка...

З и н а и д а С а в и ш н а. Граф не допил своего стакана. Даром только сахар пропал. *(Идет в левую дверь.)*

Л е б е д е в. Тьфу!.. *(Уходит в сад.)*

VI

И в а н о в и С а ш а.

С а ш а *(входя с Ивановым из правой двери)*. Все ушли в сад.

И в а н о в. Такие-то дела, Шурочка. Прежде я много работал и много думал, но никогда не утомлялся; теперь же ничего не делаю и ни о чем не думаю, а устал телом и душой. День и ночь болит моя совесть, я чувствую, что глубоко виноват, но в чем собственно моя вина, не понимаю. А тут еще болезнь жены, безденежье, вечная грызня, сплетни, лишние разговоры, глупый Боркин... Мой дом мне опротивел, и жить в нем для меня хуже пытки.

Скажу вам откровенно, Шурочка, для меня стало невыносимо даже общество жены, которая меня любит. Вы — мой старый приятель, и вы не будете сердиться за мою искренность. Приехал я вот к вам развлечься, но мне скучно и у вас, и опять меня тянет домой. Простите, я сейчас потихоньку уеду.

Саша. Николай Алексеевич, я понимаю вас. Ваше несчастие в том, что вы одиноки. Нужно, чтобы около вас был человек, которого бы вы любили и который вас понимал бы. Одна только любовь может обновить вас.

Иванов. Ну вот еще, Шурочка! Недостает, чтоб я, старый, мокрый петух, затянул новый роман! Храни меня бог от такого несчастия! Нет, моя умница, не в романе дело. Говорю, как перед богом, я снесу все: и тоску, и психопатию, и разоренье, и потерю жены, и свою раннюю старость, и одиночество, но не снесу, не выдержу я своей насмешки над самим собою. Я умираю от стыда при мысли, что я, здоровый, сильный человек, обратился не то в Гамлета, не то в Манфреда, не то в лишние люди... сам черт не разберет! Есть жалкие люди, которым льстит, когда их называют Гамлетами или лишними, но для меня это — позор! Это возмущает мою гордость, стыд гнетет меня, и я страдаю...

Саша *(шутя, сквозь слезы)*. Николай Алексеевич, бежимте в Америку.

Иванов. Мне до этого порога лень дойти, а вы в Америку... *(Идут к выходу в сад.)* В самом деле, Шура, вам здесь трудно живется! Как погляжу я на людей, которые вас окружают, мне становится страшно: за кого вы тут замуж пойдете? Одна только надежда, что какой-нибудь проезжий поручик или студент украдет вас и увезет...

VII

Те же и Зинаида Савишна.

Зинаида Савишна выходит из левой двери с банкой варенья.

Иванов. Виноват, Шурочка, я догоню вас...

Саша уходит в сад.

Зинаида Савишна, я к вам с просьбой...

Зинаида Савишна. Что вам, Николай Алексеевич?

Иванов *(мнется)*. Дело, видите ли, в том, что послезавтра срок моему векселю. Вы премного обязали бы меня, если бы дали отсрочку или позволили приписать проценты к капиталу. У меня теперь совсем нет денег...

Зинаида Савишна *(испуганно)*. Николай Алексеевич, да как это можно? Что же это за порядок? Нет, и не выдумывайте вы, ради бога, не мучьте меня, несчастную...

Иванов. Виноват, виноват... *(Уходит в сад.)*

Зинаида Савишна. Фуй, батюшки, как он меня встревожил!.. Я вся дрожу... вся дрожу... *(Уходит в правую дверь.)*

VIII

Косых.

Косых *(входит из левой двери и идет через сцену)*. У меня на бубнах: туз, король, дама, коронка сам-восемь, туз пик и одна... одна маленькая червонка, а она, черт ее возьми совсем, не могла объявить маленького шлема! *(Уходит в правую дверь.)*

IX

Авдотья Назаровна и 1-й гость.

Авдотья Назаровна *(выходя с 1-м гостем из сада)*. Вот так бы я ее и растерзала, сквалыгу... так бы и растерзала! Шутка ли, с пяти часов сижу, а она хоть бы ржавою селедкой попотчевала!.. Ну дом!.. Ну хозяйство!..

1-й гость. Такая скучища, что просто разбежался бы и головой об стену! Ну люди, господи помилуй!.. Со скуки да с голоду волком завоешь и людей грызть начнешь...

Авдотья Назаровна. Так бы я ее и растерзала, грешница.

1-й гость. Выпью, старая, и — домой! И невест мне твоих не надо. Какая тут, к нечистому, любовь, ежели с самого обеда ни рюмки?

Авдотья Назаровна. Пойдем поищем, что ли...

1-й гость. Тсс!.. Потихоньку! Шнапс, кажется, в столовой, в буфете стоит. Мы Егорушку за бока... Тсс!..

Уходят в левую дверь.

X

Анна Петровна и Львов (выходят из правой двери).

Анна Петровна. Ничего, нам рады будут. Никого нет. Должно быть, в саду.

Львов. Ну зачем, спрашивается, вы привезли меня сюда, к этим коршунам? Не место тут для нас с вами! Честные люди не должны знать этой атмосферы!

Анна Петровна. Послушайте, господин честный человек! Нелюбезно провожать даму и всю дорогу говорить с нею только о своей честности! Может быть, это и честно, но, по меньшей мере, скучно. Никогда с женщинами не говорите о своих добродетелях. Пусть они сами поймут. Мой Николай, когда был таким, как вы, в женском обществе только пел песни и рассказывал небылицы, а между тем каждая знала, что он за человек.

Львов. Ах, не говорите мне про вашего Николая, я его отлично понимаю!

Анна Петровна. Вы хороший человек, но ничего не понимаете. Пойдемте в сад. Он никогда не выражался так: «Я честен! Мне душно в этой атмосфере! Коршуны! Совиное гнездо! Крокодилы!» Зверинец он оставлял в покое, а когда, бывало, возмущался, то я от него только и слышала: «Ах, как я был несправедлив сегодня!», или: «Анюта, жаль мне этого человека!» Вот как, а вы...

Уходят.

XI

Авдотья Назаровна и 1-й гость.

1-й гость *(выходя из левой двери)*. В столовой нет, так, стало быть, где-нибудь в кладовой. Надо бы Егорушку пощупать. Пойдем через гостиную.

Авдотья Назаровна. Так бы я ее и растерзала!..

Уходят в правую дверь.

XII

Бабакина, Боркин и Шабельский.

Бабакина и Боркин со смехом вбегают из сада; за ними, смеясь и потирая руки, семенит Шабельский.

Бабакина. Какая скука! *(Хохочет.)* Какая скука! Все ходят и сидят, как будто бы аршин проглотили! От скуки все косточки застыли. *(Прыгает.)* Надо размяться!..

Боркин хватает ее за талию и целует в щеку.

Шабельский *(хохочет и щелкает пальцами)*. Черт возьми!.. *(Крякает.)* Некоторым образом...

Бабакина. Пустите, пустите руки, бесстыдник, а то граф бог знает что подумает! Отстаньте!..

Боркин. Ангел души моей, карбункул моего сердца!.. *(Целует.)* Дайте взаймы две тысячи триста рублей!..

Бабакина. Не-не-нет... Что хотите, а насчет денег — очень вами благодарна... Нет, нет, нет!.. Ах, да пустите руки!..

Шабельский *(семенит около)*. Помпончик... Имеет свою приятность...

Боркин *(серьезно)*. Но довольно. Давайте говорить о деле. Будем рассуждать прямо, по-коммерчески. Отвечайте мне прямо, без субтильностей и без всяких фокусов: да или нет? Слушайте! *(Указывает на графа.)* Вот ему нужны деньги, minimum три тысячи годового дохода. Вам нужен муж. Хотите быть графиней?

Шабельский *(хохочет)*. Удивительный циник!

Боркин. Хотите быть графиней? Да или нет?

Бабакина *(взволнованно)*. Выдумываете, Миша, право... И эти дела не делаются так, с бухты-барахты... Если графу угодно, он сам может, и... и я не знаю, как это вдруг, сразу...

Боркин. Ну, ну, будет тень наводить! Дело коммерческое... Да или нет?

Шабельский *(смеясь и потирая руки)*. В самом деле, а? Черт возьми, разве устроить себе эту гнусность? а? Помпончик... *(Целует Бабакину в щеку.)* Прелесть!.. Огурчик!..

Бабакина. Постойте, постойте, вы меня совсем встревожили... Уйдите, уйдите!.. Нет, не уходите!..

Боркин. Скорей! Да или нет? Нам некогда...

Бабакина. Знаете что, граф? Вы приезжайте ко мне в гости дня на три... У меня весело, не так, как здесь... Приезжайте завтра... *(Боркину.)* Нет, вы это не шутите?

Боркин *(сердито)*. Да кто же станет шутить в серьезных делах?

Бабакина. Постойте, постойте... Ах, мне дурно! Мне дурно! Графиня... Мне дурно!.. Я падаю...

Боркин и граф со смехом берут ее под руки и, целуя в щеки, уводят в правую дверь.

XIII

Иванов, Саша, потом Анна Петровна.

Иванов и Саша вбегают из сада.

Иванов *(в отчаянии хватая себя за голову)*. Не может быть! Не надо, не надо, Шурочка!.. Ах, не надо!..

Саша *(с увлечением)*. Люблю я вас безумно... Без вас нет смысла моей жизни, нет счастья и радости! Для меня вы всё...

Иванов. К чему, к чему! Боже мой, я ничего не понимаю... Шурочка, не надо!..

Саша. В детстве моем вы были для меня единственной радостью; я любила вас и вашу душу, как себя, а теперь... я вас люблю, Николай Алексеевич... С вами не то что на край света, а куда хотите, хоть в могилу, только, ради бога, скорее, иначе я задохнусь...

Иванов *(закатывается счастливым смехом).* Это что же такое? Это, значит, начинать жизнь сначала? Шурочка, да?.. Счастье мое! *(Привлекает ее к себе.)* Моя молодость, моя свежесть...

Анна Петровна входит из сада и, увидев мужа и Сашу, останавливается как вкопанная.

Значит, жить? Да? Снова за дело?

Поцелуй. После поцелуя Иванов и Саша оглядываются и видят Анну Петровну.

(В ужасе.) Сарра!

Занавес

ДЕЙСТВИЕ ТРЕТЬЕ

Кабинет Иванова. Письменный стол, на котором в беспорядке лежат бумаги, книги, казенные пакеты, безделушки, револьверы; около бумаг лампа, графин с водкой, тарелка с селедкой, куски хлеба и огурцы. На стенах ландкарты, картины, ружья, пистолеты, серпы, седла, нагайки и проч.— Полдень.

I

Шабельский, Лебедев, Боркин и Петр.

Шабельский и Лебедев сидят по сторонам письменного стола. Боркин среди сцены верхом на стуле. Петр стоит у двери.

Лебедев. У Франции политика ясная и определенная... Французы знают, чего хотят. Им нужно лущить колбасников и больше ничего, а у Германии, брат, совсем не та музыка. У Германии, кроме Франции, еще много сучков в глазу...

Шабельский. Вздор!.. По-моему, немцы трусы и французы трусы... Показывают только друг другу кукиши в кармане. Поверь, кукишами дело и ограничится. Драться не будут.

Боркин. А по-моему, зачем драться? К чему все эти вооружения, конгрессы, расходы? Я что бы сделал? Собрал бы со всего государства собак, привил бы им пастёровский яд в хорошей дозе и пустил бы в неприятельскую страну. Все враги перебесились бы у меня через месяц.

Лебедев *(смеется)*. Голова, посмотришь, маленькая, а великих идей в ней тьма-тьмущая, как рыб в океане.

Шабельский. Виртуоз!

Лебедев. Бог с тобою, смешишь ты, Мишель Мишелич! *(Перестав смеяться.)* Что ж, господа, Жомини да Жомини, а об водке ни полслова. Repetatur![1] *(Наливает три рюмки.)* Будемте здоровы...

Пьют и закусывают.

Селедочка, матушка, всем закускам закуска.

Шабельский. Ну нет, огурец лучше... Ученые с сотворения мира думают и ничего умнее соленого огурца не придумали. *(Петру.)* Петр, поди-ка еще принеси огурцов да вели на кухне изжарить четыре пирожка с луком. Чтоб горячие были.

Петр уходит.

Лебедев. Водку тоже хорошо икрой закусывать. Только как? С умом надо... Взять икры па-

---

[1] Повторим! *(лат.)*

юсной четверку, две луковички зеленого лучку, прованского масла, смешать все это и, знаешь, этак... поверх всего лимончиком... Смерть! От одного аромата угоришь.

Боркин. После водки хорошо тоже закусывать жареными пескарями. Только их надо уметь жарить. Нужно почистить, потом обвалять в толченых сухарях и жарить досуха, чтобы на зубах хрустели... хру-хру-хру...

Шабельский. Вчера у Бабакиной была хорошая закуска — белые грибы.

Лебедев. А еще бы...

Шабельский. Только как-то особенно приготовлены. Знаешь, с луком, с лавровым листом, со всякими специями. Как открыли кастрюлю, а из нее пар, запах... просто восторг!

Лебедев. А что ж? Repetatur, господа!

Выпивают.

Будемте здоровы... *(Смотрит на часы.)* Должно быть, не дождусь я Николаши. Пора мне ехать. У Бабакиной, ты говоришь, грибы подавали, а у нас еще не видать грибов. Скажи на милость, за каким это лешим ты зачастил к Марфутке?

Шабельский *(кивает на Боркина)*. Да вот, женить меня на ней хочет...

Лебедев. Женить?.. Тебе сколько лет?

Шабельский. Шестьдесят два года.

Лебедев. Самая пора жениться. А Марфутка как раз тебе пара.

Боркин. Тут не в Марфутке дело, а в Марфуткиных стерлингах.

Лебедев. Чего захотел: Марфуткиных стерлингов... А гусиного чаю не хочешь?

Боркин. А вот как женится человек да набьет себе ампоше[1], тогда и увидите гусиный чай. Облизнетесь...

Шабельский. Ей-богу, а ведь он серьезно. Этот гений уверен, что я его послушаюсь и женюсь...

Боркин. А то как же? А вы разве уже не уверены?

Шабельский. Да ты с ума сошел... Когда я был уверен? Псс...

Боркин. Благодарю вас... Очень вам благодарен! Так это, значит, вы меня подвести хотите? То женюсь, то не женюсь... сам черт не разберет, а я уж честное слово дал! Так вы не женитесь?

Шабельский *(пожимает плечами)*. Он серьезно... Удивительный человек!

Боркин *(возмущаясь)*. В таком случае зачем же было баламутить честную женщину? Она помешалась на графстве, не спит, не ест... Разве этим шутят?.. Разве это честно?

Шабельский *(щелкает пальцами)*. А что, в самом деле, не устроить ли себе эту гнусность? А? Назло! Возьму и устрою. Честное слово... Вот будет потеха!

Входит Львов.

II

Те же и Львов.

Лебедев. Эскулапии наше нижайшее... *(Подает Львову руку и поет.)* «Доктор, батюшка, спасите, смерти до смерти боюсь...»

---

[1] *Здесь:* карман (*фр.* empocher — класть в карман).

Львов. Николай Алексеевич еще не приходил?

Лебедев. Да нет, я сам его жду больше часа.

Львов нетерпеливо шагает по сцене.

Милый, ну как здоровье Анны Петровны?

Львов. Плохо.

Лебедев *(вздох)*. Можно пойти засвидетельствовать почтение?

Львов. Нет, пожалуйста, не ходите. Она, кажется, спит...

Пауза.

Лебедев. Симпатичная, славная... *(Вздыхает.)* В Шурочкин день рождения, когда она у нас в обморок упала, поглядел я на ее лицо и тогда еще понял, что уж ей, бедной, недолго жить. Не понимаю, отчего с нею тогда дурно сделалось? Прибегаю, гляжу: она, бледная, на полу лежит, около нее Николаша на коленях, тоже бледный, Шурочка вся в слезах. Я и Шурочка после этого случая неделю как шальные ходили.

Шабельский *(Львову)*. Скажите мне, почтеннейший жрец науки, какой ученый открыл, что при грудных болезнях дамам бывают полезны частые посещения молодого врача? Это великое открытие! Великое! Куда оно относится: к аллопатии или к гомеопатии?

Львов хочет ответить, но делает презрительное движение и уходит.

Какой уничтожающий взгляд...

Лебедев. А тебя дергает нелегкая за язык! За что ты его обидел?

Шабельский *(раздраженно).* А зачем он врет? Чахотка, нет надежды, умрет... Врет он! Я этого терпеть не могу!

Лебедев. Почему ты думаешь, что он врет?

Шабельский *(встает и ходит).* Я не могу допустить мысли, чтобы живой человек вдруг, ни с того ни с сего умер. Оставим этот разговор!

III

Лебедев, Шабельский, Боркин и Косых.

Косых *(вбегает запыхавшись).* Дома Николай Алексеевич? Здравствуйте! *(Быстро пожимает всем руки.)* Дома?

Боркин. Его нет.

Косых *(садится и вскакивает).* В таком случае прощайте! *(Выпивает рюмку водки и быстро закусывает.)* Поеду дальше... Дела... Замучился... Еле на ногах стою...

Лебедев. Откуда ветер принес?

Косых. От Барабанова. Всю ночь провинтили и только что кончили... Проигрался в пух... Этот Барабанов играет как сапожник! *(Плачущим голосом.)* Вы послушайте: все время несу я черву... *(Обращается к Боркину, который прыгает от него.)* Он ходит бубну, я опять черву, он бубну... Ну и без взятки. *(Лебедеву.)* Играем четыре трефы. У меня туз, дама-шост на руках, туз, десятка-третей пик...

Лебедев *(затыкает уши).* Уволь, уволь, ради Христа, уволь!

Косых *(графу).* Понимаете: туз, дама-шост на трефах, туз, десятка-третей пик...

Шабельский *(отстраняет его руками)*. Уходите, не желаю я слушать!

Косых. И вдруг несчастье: туза пик по первой бьют...

Шабельский *(хватает со стола револьвер)*. Отойдите, стрелять буду!..

Косых *(машет рукой)*. Черт знает... Неужели даже поговорить не с кем? Живешь как в Австралии: ни общих интересов, ни солидарности... Каждый живет врозь... Однако надо ехать... пора... *(Хватает фуражку.)* Время дорого... *(Подает Лебедеву руку.)* Пас!..

Смех.

Косых уходит и в дверях сталкивается с Авдотьей Назаровной.

IV

Шабельский, Лебедев, Боркин и Авдотья Назаровна.

Авдотья Назаровна *(вскрикивает)*. Чтоб тебе пусто было, с ног сшиб!

Все. А-а-а!.. вездесущая!..

Авдотья Назаровна. Вот они где, а я по всему дому ищу. Здравствуйте, ясные соколы, хлеб да соль... *(Здоровается.)*

Лебедев. Зачем пришла?

Авдотья Назаровна. За делом, батюшка! *(Графу.)* Дело вас касающее, ваше сиятельство. *(Кланяется.)* Велели кланяться и о здоровье спросить... И велела она, куколочка моя, сказать, что ежели вы нынче к вечеру не приедете, то она глазочки свои проплачет. Так, говорит, милая, отзови его в сторонoccочку и шепни на ушко по секрету. А зачем по секрету? Тут всё люди свои. И такое дело, не кур крадем, а по закону да по любви, по междоусобному согласию. Никогда, грешница, не пью, а через такой случай выпью!

Лебедев. И я выпью. *(Наливает.)* А тебе, старая скворешня, и сносу нет. Лет тридцать я тебя старухой знаю...

Авдотья Назаровна. И счет годам потеряла... Двух мужей похоронила, пошла бы еще за третьего, да никто не хочет без приданого брать. Детей душ восемь было... *(Берет рюмку.)* Ну, дай бог, дело хорошее мы начали, дай бог его и кончить! Они будут жить да поживать, а мы глядеть на них да радоваться! Совет им и любовь... *(Пьет.)* Строгая водка!

Шабельский *(хохоча, Лебедеву)*. Но что, понимаешь, курьезнее всего, так это то, что они думают серьезно, будто я... Удивительно! *(Встает.)* А то в самом деле, Паша, не устроить ли себе эту гнусность? Назло... Этак, мол, на, старая собака, ешь! Паша, а? Ей-богу...

Лебедев. Пустое ты городишь, граф. Наше, брат, дело с тобою об околеванце думать, а Марфутки да стерлинги давно мимо проехали... Прошла наша пора.

Шабельский. Нет, я устрою! Честное слово, устрою!

Входят Иванов и Львов.

V

Те же, Иванов и Львов.

Львов. Я прошу вас уделить мне только пять минут.

Лебедев. Николаша! *(Идет навстречу Иванову и целует его.)* Здравствуй, дружище... Я тебя уж целый час дожидаюсь.

Авдотья Назаровна *(кланяется).* Здравствуйте, батюшка!

Иванов *(с горечью).* Господа, опять в моем кабинете кабак завели!.. Тысячу раз просил я всех и каждого не делать этого... *(Подходит к столу.)* Ну вот, бумагу водкой облили... крошки... огурцы... Ведь противно!

Лебедев. Виноват, Николаша, виноват... Прости. Мне с тобою, дружище, поговорить надо о весьма важном деле...

Боркин. И мне тоже.

Львов. Николай Алексеевич, можно с вами поговорить?

Иванов *(указывает на Лебедева).* Вот и ему я нужен. Подождите, вы после... *(Лебедеву.)* Чего тебе?

Лебедев. Господа, я желаю говорить конфиденциально. Прошу...

Граф уходит с Авдотьей Назаровной, за ними Боркин, потом Львов.

Иванов. Паша, сам ты можешь пить, сколько тебе угодно, это твоя болезнь, но прошу не спаивать дядю. Раньше он у меня никогда не пил. Ему вредно.

Лебедев *(испуганно).* Голубчик, я не знал... Я даже внимания не обратил...

Иванов. Не дай бог, умрет этот старый ребенок, не вам будет худо, а мне... Что тебе нужно?..

Пауза.

Лебедев. Видишь ли, любезный друг... Не знаю, как начать, чтобы это вышло не так бессовестно... Николаша, совестно мне, краснею, язык заплетается, но, голубчик, войди в мое положение, пойми, что я человек подневольный, негр, тряпка... Извини ты меня...

Иванов. Что такое?

Лебедев. Жена послала... Сделай милость, будь другом, заплати ты ей проценты! Веришь ли, загрызла, заездила, замучила! Отвяжись ты от нее, ради создателя!..

Иванов. Паша, ты знаешь, что у меня теперь нет денег.

Лебедев. Знаю, знаю, но что же мне делать? Ждать она не хочет. Если протестует вексель, то как я и Шурочка будем тебе в глаза глядеть?

Иванов. Мне самому совестно, Паша, рад сквозь землю провалиться, но... но где взять? Научи: где? Остается одно: ждать осени, когда я хлеб продам.

Лебедев *(кричит)*. Не хочет она ждать!

Пауза.

Иванов. Твое положение неприятное, щекотливое, а мое еще хуже. *(Ходит и думает.)* И ничего не придумаешь... Продать нечего...

Лебедев. Съездил бы к Мильбаху, попросил, ведь он тебе шестнадцать тысяч должен.

Иванов безнадежно машет рукой.

Вот что, Николаша... Я знаю, ты станешь браниться, но... уважь старого пьяницу! По-дружески... Гляди на меня, как на друга... Студенты мы с тобою, либералы... Общность идей и интересов... В Московском университете оба учились... Alma mater... *(Вынимает бумажник.)* У меня вот есть заветные, про них ни одна душа в доме не знает.

Возьми взаймы... *(Вынимает деньги и кладет на стол.)* Брось самолюбие, а взгляни по-дружески... Я бы от тебя взял, честное слово...

Пауза.

Вот они на столе: тысяча сто. Ты съезди к ней сегодня и отдай собственноручно. Нате, мол, Зинаида Савишна, подавитесь! Только, смотри, и виду не подавай, что у меня занял, храни тебя бог! А то достанется мне на орехи от кружовенного варенья! *(Всматривается в лицо Иванова.)* Ну, ну, не надо! *(Быстро берет со стола деньги и прячет в карман.)* Не надо! Я пошутил... Извини, ради Христа!

Пауза.

Мутит на душе?

Иванов машет рукой.

Да, дела... *(Вздыхает.)* Настало для тебя время скорби и печали. Человек, братец ты мой, все равно что самовар. Не все он стоит в холодке на полке, но, бывает, и угольки в него кладут: пш... пш! Ни к черту это сравнение не годится, ну да ведь умнее не придумаешь... *(Вздыхает.)* Несчастия закаляют душу. Мне тебя не жалко, Николаша, ты выскочишь из беды, перемелется — мука будет, но обидно, брат, и досадно мне на людей... Скажи на милость, откуда эти сплетни берутся! Столько, брат, про тебя по уезду сплетен ходит, что, того и гляди, к тебе товарищ прокурора приедет... Ты и убийца, и кровопийца, и грабитель, и изменник...

Иванов. Это все пустяки, вот у меня голова болит.

Лебедев. Все оттого, что много думаешь.

Иванов. Ничего я не думаю.

Лебедев. А ты, Николаша, начихай на все да поезжай к нам. Шурочка тебя любит, понимает и ценит. Она, Николаша, честный, хороший человек. Не в мать и не в отца, а, должно быть, в проезжего молодца... Гляжу, брат, на нее иной раз и не верю, что у меня, у толстоносого пьяницы, такое сокровище. Поезжай, потолкуй с ней об умном и — развлечешься. Это верный, искренний человек...

Пауза.

Иванов. Паша, голубчик, оставь меня одного...

Лебедев. Понимаю, понимаю... *(Торопливо смотрит на часы.)* Я понимаю. *(Целует Иванова.)* Прощай. Мне еще на освящение школы ехать. *(Идет к двери и останавливается.)* Умная... Вчера стали мы с Шурочкой насчет сплетен говорить. *(Смеется.)* А она афоризмом выпалила: «Папочка, светляки, говорит, светят ночью только для того, чтобы их легче могли увидеть и съесть ночные птицы, а хорошие люди существуют для того, чтобы было что есть клевете и сплетне». Каково? Гений! Жорж Занд!..

Иванов. Паша! *(Останавливает его.)* Что со мною?

Лебедев. Я сам тебя хотел спросить об этом, да, признаться, стеснялся. Не знаю, брат! С одной стороны, мне казалось, что тебя одолели несчастия разные, с другой же стороны, знаю, что ты не таковский, чтобы того... Бедой тебя не победишь. Что-то, Николаша, другое, а что — не понимаю!

Иванов. Я сам не понимаю. Мне кажется, или... впрочем, нет!

Пауза.

Видишь ли, я что хотел сказать. У меня был рабочий Семен, которого ты помнишь. Раз, во время молотьбы, он захотел похвастать перед девками своею силой, взвалил себе на спину два мешка ржи и надорвался. Умер скоро. Мне кажется, что я тоже надорвался. Гимназия, университет, потом хозяйство, школы, проекты... Веровал я не так, как все, женился не так, как все, горячился, рисковал, деньги свои, сам знаешь, бросал направо и налево, был счастлив и страдал, как никто во всем уезде. Все это, Паша, мои мешки... Взвалил себе на спину ношу, а спина-то и треснула. В двадцать лет мы все уже герои, за всё беремся, всё можем, и к тридцати уже утомляемся, никуда не годимся. Чем, чем ты объяснишь такую утомляемость? Впрочем, быть может, это не то... Не то, не то!.. Иди, Паша, с богом, я надоел тебе.

Лебедев *(живо)*. Знаешь что? Тебя, брат, среда заела!

Иванов. Глупо, Паша, и старо. Иди!

Лебедев. Действительно, глупо. Теперь и сам вижу, что глупо. Иду, иду!.. *(Уходит.)*

VI

Иванов, потом Львов.

Иванов *(один)*. Нехороший, жалкий и ничтожный я человек. Надо быть тоже жалким, истасканным, испитым, как Паша, чтобы еще любить меня и уважать. Как я себя презираю, боже мой! Как глубоко ненавижу я свой голос, свои шаги, свои руки, эту одежду, свои мысли. Ну не смешно ли, не обидно ли? Еще года нет, как был здоров и силен, был бодр, неутомим, горяч, работал этими самыми руками, говорил так, что трогал до слез даже невежд, умел плакать, когда видел горе, возмущался, когда встречал зло. Я знал, что такое вдохновение, знал прелесть и поэзию тихих ночей, когда от зари до зари сидишь за рабочим столом или тешишь свой ум мечтами. Я веровал, в будущее глядел, как в глаза родной матери... А теперь, о боже мой! утомился, не верю, в безделье провожу дни и ночи. Не слушаются ни мозг, ни руки, ни ноги. Имение идет прахом, леса трещат под топором. *(Плачет.)* Земля моя глядит на меня как сирота. Ничего я не жду, ничего не жаль, душа дрожит от страха перед завтрашним днем... А история с Саррой? Клялся в вечной любви, пророчил счастье, открывал перед ее глазами будущее, какое ей не снилось даже во сне. Она поверила. Во все пять лет я видел только, как она угасала под тяжестью своих жертв, как изнемогала в борьбе с совестью, но, видит бог, ни косого взгляда на меня, ни слова упрека!.. И что же? Я разлюбил ее... Как? Почему? За что? Не понимаю. Вот она страдает, дни ее сочтены, а я, как последний трус, бегу от ее бледного лица, впалой груди, умоляющих глаз... Стыдно, стыдно!

Пауза.

Сашу, девочку, трогают мои несчастия. Она мне, почти старику, объясняется в любви, а я пьянею, забываю про все на свете, обвороженный, как музыкой, и кричу: «Новая жизнь! счастье!» А на другой день верю в эту жизнь и в счастье так же мало, как в домового... Что же со мною? В какую пропасть толкаю я себя? Откуда во мне эта слабость? Что стало с моими нервами? Стоит только больной жене уколоть мое самолюбие, или не угодит прислуга, или ружье даст осечку, как я становлюсь груб, зол и не похож на себя...

Пауза.

Не понимаю, не понимаю, не понимаю! Просто хоть пулю в лоб!..

Львов *(входит)*. Мне нужно с вами объясниться, Николай Алексеевич!

Иванов. Если мы, доктор, будем каждый день объясняться, то на это сил никаких не хватит.

Львов. Вам угодно меня выслушать?

Иванов. Выслушиваю я вас каждый день и до сих пор никак не могу понять: что собственно вам от меня угодно?

Львов. Говорю я ясно и определенно, и не может меня понять только тот, у кого нет сердца...

Иванов. Что у меня жена при смерти — я знаю; что я непоправимо виноват перед нею — я тоже знаю; что вы честный, прямой человек — тоже знаю! Что же вам нужно еще?

Львов. Меня возмущает человеческая жестокость... Умирает женщина. У нее есть отец и мать, которых она любит и хотела бы видеть перед смертью; те знают отлично, что она скоро умрет и что все еще любит их, но, проклятая жестокость, они точно хотят удивить Иегову своим религиозным закалом: всё еще проклинают ее! Вы, человек, которому она пожертвовала всем — и верой, и родным гнездом, и покоем совести, вы откровеннейшим образом и с самыми откровенными целями каждый день катаетесь к этим Лебедевым!..

Иванов. Ах, я там уже две недели не был...

Львов *(не слушая его)*. С такими людьми, как вы, надо говорить прямо, без обиняков, и если вам не угодно слушать меня, то не слушайте! Я привык называть вещи настоящим их именем... Вам нужна эта смерть для новых подвигов; пусть так, но неужели вы не могли подождать? Если бы вы дали ей умереть естественным порядком, не долбили бы ее своим откровенным цинизмом, то неужели бы от вас ушла Лебедева со своим приданым? Не теперь, так через год, через два вы, чудный Тартюф, успели бы вскружить голову девочке и завладеть ее приданым так же, как и теперь... К чему же вы торопитесь? Почему вам нужно, чтобы ваша жена умерла теперь, а не через месяц, через год?..

Иванов. Мучение... Доктор, вы слишком плохой врач, если предполагаете, что человек может сдерживать себя до бесконечности. Мне страшных усилий стоит не отвечать вам на ваши оскорбления.

Львов. Полноте, кого вы хотите одурачить? Сбросьте маску.

Иванов. Умный человек, подумайте: по-вашему, нет ничего легче, как понять меня! Я женился на Анне, чтобы получить большое приданое... Приданого мне не дали, я промахнулся и теперь сживаю ее со света, чтобы жениться на другой и взять приданое... Да? Как просто и несложно... Человек такая простая и немудреная машина... Нет, доктор, в каждом из нас слишком много колес, винтов и клапанов, чтобы мы могли судить друг о друге по первому впечатлению или по двум-трем внешним признакам. Я не понимаю вас, вы меня не понимаете, и сами мы себя не понимаем. Можно быть прекрасным врачом — и в то же время совсем не знать людей. Не будьте же самоуверенны и согласитесь с этим.

Львов. Да неужели же вы думаете, что вы так непрозрачны и у меня так мало мозга, что я не могу отличить подлости от честности?

Иванов. Очевидно, мы с вами никогда не споемся... В последний раз я спрашиваю и отвечайте, пожалуйста, без предисловий: что собственно вам нужно от меня? Чего вы добиваетесь? *(Раздраженно.)* И с кем я имею честь говорить: с моим прокурором или с врачом моей жены?

Львов. Я врач и, как врач, требую, чтобы вы изменили ваше поведение... Оно убивает Анну Петровну!

Иванов. Но что же мне делать? Что? Если вы меня понимаете лучше, чем я сам себя понимаю, то говорите определенно: что мне делать?

Львов. По крайней мере, действовать не так откровенно.

Иванов. А, боже мой! Неужели вы себя понимаете? *(Пьет воду.)* Оставьте меня. Я тысячу раз виноват, отвечу перед богом, а вас никто не уполномочивал ежедневно пытать меня...

Львов. А кто вас уполномочил оскорблять во мне мою правду? Вы измучили и отравили мою душу. Пока я не попал в этот уезд, я допускал существование людей глупых, сумасшедших, увлекающихся, но никогда я не верил, что есть люди преступные осмысленно, сознательно направляющие свою волю в сторону зла... Я уважал и любил людей, но когда увидел вас...

Иванов. Я уже слышал об этом!

Львов. Слышали? *(Увидев входящую Сашу; она в амазонке.)* Теперь уж, надеюсь, мы отлично понимаем друг друга! *(Пожимает плечами и уходит.)*

VII

Иванов и Саша.

Иванов *(испуганно)*. Шура, это ты?

Саша. Да, я. Не ожидал? Отчего ты так долго не был у нас?

Иванов. Шура, ради бога, это неосторожно! Твой приезд может страшно подействовать на жену.

Саша. Она меня не увидит. Я прошла черным ходом. Сейчас уеду. Я беспокоюсь: ты здоров? Отчего не приезжал так долго?

Иванов. Жена и без того уж оскорблена, почти умирает, а ты приезжаешь сюда. Шура, Шура, это легкомысленно и бесчеловечно!

Саша. Что же мне было делать? Ты две недели не был у нас, не отвечал на письма. Я измучилась. Мне казалось, что ты тут невыносимо страдаешь, болен, умер. Ни одной ночи я не спала покойно. Сейчас уеду... По крайней мере, скажи: ты здоров?

Иванов. Нет, замучил я себя, люди мучают меня без конца... Просто сил моих нет! А тут еще ты! Как это нездорово, как ненормально! Шура, как я виноват, как виноват!..

Саша. Как ты любишь говорить страшные и жалкие слова! Виноват ты? Да? Виноват? Ну так говори же: в чем?

Иванов. Не знаю, не знаю...

Саша. Это не ответ. Каждый грешник должен знать, в чем он грешен. Фальшивые бумажки делал, что ли?

Иванов. Неостроумно!

Саша. Виноват, что разлюбил жену? Может быть, но человек не хозяин своим чувствам, ты не хотел разлюбить. Виноват ты, что она видела, как я объяснялась тебе в любви? Нет, ты не хотел, чтобы она видела...

Иванов *(перебивая)*. И так далее, и так далее... Полюбил, разлюбил, не хозяин своим чувствам — все это общие места, избитые фразы, которыми не поможешь...

Саша. Утомительно с тобою говорить. *(Смотрит на картину.)* Как хорошо собака нарисована! Это с натуры?

Иванов. С натуры. И весь этот наш роман — общее, избитое место: он пал духом и утерял почву. Явилась она, бодрая духом, сильная, и подала ему руку помощи. Это красиво и похоже на правду только в романах, а в жизни...

Саша. И в жизни то же самое.

Иванов. Вижу, тонко ты понимаешь жизнь! Мое нытье внушает тебе благоговейный страх, ты воображаешь, что обрела во мне второго Гамлета, а, по-моему, эта моя психопатия, со всеми ее аксессуарами, может служить хорошим материалом только для смеха и больше ничего! Надо бы хохотать до упаду над моим кривляньем, а ты — караул! Спасать, совершать подвиг! Ах, как я зол сегодня на себя! Чувствую, что сегодняшнее мое напряжение разрешится чем-нибудь... Или я сломаю что-нибудь, или...

Саша. Вот, вот, это именно и нужно. Сломай что-нибудь, разбей или закричи. Ты на меня сердит, я сделала глупость, что решилась приехать сюда. Ну так возмутись, закричи на меня, затопай ногами. Ну? Начинай сердиться...

Пауза.

Ну?

Иванов. Смешная.

Саша. Отлично! Мы, кажется, улыбаемся! Будьте добры, соблаговолите еще раз улыбнуться!

Иванов *(смеется)*. Я заметил: когда ты начинаешь спасать меня и учить уму-разуму, то у тебя делается лицо наивное-пренаивное, а зрачки большие, точно ты на комету смотришь. Постой, у тебя плечо в пыли. *(Смахивает с ее плеча пыль.)* Наивный мужчина – это дурак. Вы же, женщины, умудряетесь наивничать так, что это у вас выходит и мило, и здорово, и тепло, и не так глупо, как кажется. Только что у вас у всех за манера? Пока мужчина здоров, силен и весел, вы не обращаете на него никакого внимания, но как только он покатил вниз по наклонной плоскости и стал Лазаря петь, вы вешаетесь ему на шею. Разве быть женой сильного и храброго человека хуже, чем быть сиделкой у какого-нибудь слезоточивого неудачника?

Саша. Хуже!

Иванов. Почему же? *(Хохочет.)* Не знает об этом Дарвин, а то бы он задал вам на орехи! Вы портите человеческую породу. По вашей милости на свете скоро будут рождаться одни только нытики и психопаты.

Саша. Мужчины многого не понимают. Всякой девушке скорее понравится неудачник, чем счастливец, потому что каждую соблазняет любовь деятельная...

Понимаешь? Деятельная. Мужчины заняты делом, и потому у них любовь на третьем плане. Поговорить с женой, погулять с нею по саду, приятно провести время, на ее могилке поплакать – вот и все. А у нас любовь – это жизнь. Я люблю тебя, это значит, что я мечтаю, как я излечу тебя от тоски, как пойду с тобою на край света... Ты на гору, и я на гору; ты в яму, и я в яму. Для меня, например, было бы большим счастьем всю ночь бумаги твои переписывать, или всю ночь сторожить, чтобы тебя не разбудил кто-нибудь, или идти с тобою пешком верст сто. Помню, года три назад, ты раз, во время молотьбы, пришел к нам весь в пыли, загорелый, измученный и попросил пить. Принесла я тебе стакан, а ты уж лежишь на диване и спишь как убитый. Спал ты у нас полсуток, а я все время стояла за дверью и сторожила, чтобы кто не вошел. И так мне было хорошо! Чем больше труда, тем любовь лучше, то есть она, понимаешь ли, сильней чувствуется.

Иванов. Деятельная любовь... Гм... Порча это, девическая философия, или, может, так оно и должно быть... *(Пожимает плечами.)* Черт его знает! *(Весело.)* Шура, честное слово, я порядочный человек!.. Ты посуди: я всегда любил философствовать, но никогда в жизни я не говорил: «наши женщины испорчены» или: «женщина вступила на ложную дорогу». Ей-богу, я был только благодарен и больше ничего! Больше ничего! Девочка моя, хорошая, какая ты забавная! А я-то, какой смешной болван! Православный народ смущаю, по целым дням Лазаря пою. *(Смеется.)* Бу-у! бу-у! *(Быстро отходит.)* Но уходи, Саша! Мы забылись...

Саша. Да, пора уходить. Прощай! Боюсь, как бы твой честный доктор из чувства долга не донес Анне Петровне, что я здесь. Слушай меня: ступай сейчас к жене и сиди, сиди, сиди... Год понадобится сидеть — год сиди. Десять лет — сиди десять лет. Исполняй свой долг. И горюй, и прощения у нее проси, и плачь — все это так и надо. А главное, не забывай дела.

Иванов. Опять у меня такое чувство, как будто я мухомору объелся. Опять!

Саша. Ну, храни тебя создатель! Обо мне можешь совсем не думать! Недели через две черкнешь строчку — и на том спасибо. А я тебе буду писать...

Боркин выглядывает в дверь.

VIII

Те же и Боркин.

Боркин. Николай Алексеевич, можно? *(Увидев Сашу.)* Виноват, я и не вижу... *(Входит.)* Бонжур! *(Раскланивается.)*

Саша *(смущенно)*. Здравствуйте...

Боркин. Вы пополнели, похорошели.

Саша *(Иванову)*. Так я ухожу, Николай Алексеевич... Я ухожу. *(Уходит.)*

Боркин. Чудное видение! Шел за прозой, а наткнулся на поэзию... *(Поет.)* «Явилась ты, как пташка к свету...»

Иванов взволнованно ходит по сцене.

(Садится.) А в ней, Nicolas, есть что-то такое, этакое, чего нет в других. Не правда ли? Что-то особенное... фантасмагорическое... *(Вздыхает.)* В сущности, самая богатая невеста во всем уезде, но маменька такая редька, что никто не захочет связываться. После ее смерти все останется Шурочке, а до смерти даст тысяч десять, плойку и утюг, да еще велит в ножки поклониться. *(Роется в карманах.)* Покурить де-лос-махорос. Не хотите ли? *(Протягивает портсигар.)* Хорошие... Курить можно.

И в а н о в *(подходит к Боркину, задыхаясь от гнева).* Сию же минуту чтоб ноги вашей не было у меня в доме! Сию же минуту!

Боркин приподнимается и роняет сигару.

Вон сию же минуту!

Б о р к и н. Nicolas, что это значит? За что вы сердитесь?

И в а н о в. За что? А откуда у вас эти сигары? И вы думаете, что я не знаю, куда и зачем вы каждый день возите старика?

Б о р к и н *(пожимает плечами).* Да вам-то что за надобность?

И в а н о в. Негодяй вы этакий! Ваши подлые проекты, которыми вы сыплете по всему уезду, сделали меня в глазах людей бесчестным человеком! У нас нет ничего общего, и я прошу вас сию же минуту оставить мой дом! *(Быстро ходит.)*

Б о р к и н. Я знаю, все это вы говорите в раздражении, а потому не сержусь на вас. Оскорбляйте сколько хотите... *(Поднимает сигару.)* А меланхолию пора бросить. Вы не гимназист...

И в а н о в. Я вам что сказал? *(Дрожа.)* Вы играете мною?

Входит А н н а П е т р о в н а.

IX

Т е ж е и А н н а П е т р о в н а.

Б о р к и н. Ну вот, Анна Петровна пришла... Я уйду. *(Уходит.)*

Иванов останавливается возле стола и стоит, поникнув головой.

Анна Петровна *(после паузы)*. Зачем она сейчас сюда приезжала?

Пауза.

Я тебя спрашиваю: зачем она сюда приезжала?

Иванов. Не спрашивай, Анюта...

Пауза.

Я глубоко виноват. Придумывай какое хочешь наказание, я все снесу, но... не спрашивай... Говорить я не в силах.

Анна Петровна *(сердито)*. Зачем она здесь была?

Пауза.

А, так вот ты какой! Теперь я тебя понимаю. Наконец-то я вижу, что ты за человек. Бесчестный, низкий... Помнишь, ты пришел и солгал мне, что ты меня любишь... Я поверила и оставила отца, мать, веру и пошла за тобою... Ты лгал мне о правде, о добре, о своих честных планах, я верила каждому слову...

Иванов. Анюта, я никогда не лгал тебе...

Анна Петровна. Жила я с тобою пять лет, томилась и болела от мысли, что изменила своей вере, но любила тебя и не оставляла ни на одну минуту... Ты был моим кумиром... И что же? Все это время ты обманывал меня самым наглым образом...

Иванов. Анюта, не говори неправды. Я ошибался, да, но не солгал ни разу в жизни... В этом ты не смеешь попрекнуть меня...

Анна Петровна. Теперь все понятно... Женился ты на мне и думал, что отец и мать простят меня, дадут мне денег... Ты это думал...

Иванов. О, боже мой! Анюта, испытывать так терпение... *(Плачет.)*

Анна Петровна. Молчи! Когда увидел, что денег нет, повел новую игру... Теперь я все помню и понимаю. *(Плачет.)* Ты никогда не любил меня и не был мне верен... Никогда!..

Иванов. Сарра, это ложь!.. Говори что хочешь, но не оскорбляй меня ложью...

Анна Петровна. Бесчестный, низкий человек... Ты должен Лебедеву, и теперь, чтобы увильнуть от долга, хочешь вскружить голову его дочери, обмануть ее так же, как меня. Разве неправда?

Иванов *(задыхаясь)*. Замолчи, ради бога! Я за себя не ручаюсь... Меня душит гнев, и я... я могу оскорбить тебя...

Анна Петровна. Всегда ты нагло обманывал, и не меня одну... Все бесчестные поступки сваливал ты на Боркина, но теперь я знаю — чьи они...

Иванов. Сарра, замолчи, уйди, а то у меня с языка сорвется слово! Меня так и подмывает сказать тебе что-нибудь ужасное, оскорбительное... *(Кричит.)* Замолчи, жидовка!..

Анна Петровна. Не замолчу... Слишком долго ты обманывал меня, чтобы я могла молчать...

Иванов. Так ты не замолчишь? *(Борется с собою.)* Ради бога...

Анна Петровна. Теперь иди и обманывай Лебедеву...

Иванов. Так знай же, что ты... скоро умрешь... Мне доктор сказал, что ты скоро умрешь...

Анна Петровна *(садится, упавшим голосом)*. Когда он сказал?

Пауза.

Иванов *(хватая себя за голову)*. Как я виноват! Боже, как я виноват! *(Рыдает.)*

Занавес

Между третьим и четвертым действиями проходит около года.

ДЕЙСТВИЕ ЧЕТВЕРТОЕ

Одна из гостиных в доме Лебедева. Впереди арка, отделяющая гостиную от зала, направо и налево — двери. Старинная бронза, фамильные портреты. Праздничное убранство. Пианино, на нем скрипка, возле стоит виолончель. — В продолжение всего действия по залу ходят гости, одетые по-бальному.

I

Львов.

Львов *(входит, смотрит на часы)*. Пятый час. Должно быть, сейчас начнется благословение... Благословят и повезут венчать. Вот оно, торжество добродетели и правды! Сарру не удалось ограбить, замучил ее и в гроб уложил, теперь нашел другую. Будет и перед этою лицемерить, пока не ограбит ее и, ограбивши, не уложит туда же, где лежит бедная Сарра. Старая, кулаческая история...

Пауза.

На седьмом небе от счастья, прекрасно проживет до глубокой старости, а умрет со спокойною совестью. Нет, я выведу тебя на чистую воду! Когда я сорву с тебя проклятую маску и когда все узнают, что ты за птица, ты полетишь у меня с седьмого неба вниз головой в такую яму, из которой не вытащит тебя сама нечистая сила! Я честный человек, мое дело вступиться и открыть глаза слепым. Исполню свой долг и завтра же вон из этого проклятого уезда! *(Задумывается.)* Но что сделать? Объясняться с Лебедевыми — напрасный труд. Вызвать на дуэль? Затеять скандал? Боже мой, я волнуюсь, как мальчишка, и совсем потерял способность соображать. Что делать? Дуэль?

II

Львов и Косых.

Косых *(входит, радостно Львову)*. Вчера объявил маленький шлем на трефах, а взял большой. Только опять этот Барабанов мне всю музыку испортил! Играем. Я говорю: без козырей. Он пас. Два трефы. Он пас. Я два бубны... три трефы... и представьте, можете себе представить: я объявляю шлем, а он не показывает туза. Покажи он, мерзавец, туза, я объявил бы большой шлем на без-козырях...

Львов. Простите, я в карты не играю и потому не сумею разделить вашего восторга. Скоро благословение?

Косых. Должно, скоро. Зюзюшку в чувство приводят. Белугой ревет, приданого жалко.

Львов. А не дочери?

Косых. Приданого. Да и обидно. Женится, значит, долга не заплатит. Зятевы векселя не протестуешь.

III

Те же и Бабакина.

Бабакина *(разодетая, важно проходит через сцену мимо Львова и Косых; последний прыскает в кулак; она оглядывается)*. Глупо!

Косых касается пальцем ее талии и хохочет.

Мужик! *(Уходит.)*

Косых *(хохочет)*. Совсем спятила баба! Пока в сиятельство не лезла — была баба как баба, а теперь приступу нет. *(Дразнит.)* Мужик!

Львов *(волнуясь)*. Слушайте, скажите мне искренно: какого вы мнения об Иванове?

Косых. Ничего не стоит. Играет как сапожник. В прошлом году, в посту, был такой случай. Садимся мы играть: я, граф, Боркин и он. Я сдаю...

Львов *(перебивая)*. Хороший он человек?

Косых. Он-то? Жох-мужчина! Пройда, сквозь огонь и воду прошел. Он и граф — пятак пара. Нюхом чуют, где что плохо лежит. На жидовке нарвался, съел гриб, а теперь к Зюзюшкиным сундукам подбирается. Об заклад бьюсь, будь я трижды анафема, если через год он Зюзюшку по миру не пустит. Он — Зюзюшку, а граф — Бабакину. Заберут денежки и будут жить-поживать да добра наживать. Доктор, что это вы сегодня такой бледный? На вас лица нет.

Львов. Ничего, это так. Вчера лишнее выпил.

IV

Те же, Лебедев и Саша.

Лебедев *(входя с Сашей)*. Здесь поговорим. *(Львову и Косых.)* Ступайте, зулусы, в залу к барышням. Нам по секрету поговорить нужно.

Косых *(проходя мимо Саши, восторженно щелкает пальцами)*. Картина! Козырная дама!

Лебедев. Проходи, пещерный человек, проходи!

Львов и Косых уходят.

Садись, Шурочка, вот так... *(Садится и оглядывается.)* Слушай внимательно и с должным благоговением. Дело вот в чем: твоя мать приказала мне передать тебе следующее... Понимаешь? Я не от себя буду говорить, а мать приказала.

Саша. Папа, покороче!

Лебедев. Тебе в приданое назначается пятнадцать тысяч рублей серебром. Вот... Смотри, чтоб потом разговоров не было! Постой, молчи! Это только цветки, а будут еще ягодки. Приданого тебе назначено пятнадцать тысяч, но, принимая во внимание, что Николай Алексеевич должен твоей матери девять тысяч, из твоего приданого делается вычитание... Ну-с, а потом, кроме того...

Саша. Для чего ты мне это говоришь?

Лебедев. Мать приказала!

Саша. Оставьте меня в покое! Если бы ты хотя немного уважал меня и себя, то не позволил бы себе говорить со мною таким образом. Не нужно мне вашего приданого! Я не просила и не прошу!

Лебедев. За что же ты на меня набросилась? У Гоголя две крысы сначала понюхали, а потом уж ушли, а ты, эмансипе, не понюхавши, набросилась.

Саша. Оставьте вы меня в покое, не оскорбляйте моего слуха вашими грошовыми расчетами.

Лебедев *(вспылив)*. Тьфу! Все вы то сделаете, что я себя ножом пырну или человека зарежу!

Та день-деньской рёвма-ревет, зудит, пилит, копейки считает, а эта, умная, гуманная, черт подери, эмансипированная, не может понять родного отца! Я оскорбляю слух! Да ведь прежде чем прийти сюда оскорблять твой слух, меня там *(указывает на дверь)* на куски резали, четвертовали. Не может она понять! Голову вскружили и с толку сбили... ну вас! *(Идет к двери и останавливается.)* Не нравится мне, всё мне в вас не нравится!

Саша. Что тебе не нравится?

Лебедев. Всё мне не нравится! Всё!

Саша. Что всё?

Лебедев. Так вот я рассядусь перед тобою и стану рассказывать. Ничего мне не нравится, а на свадьбу твою я и смотреть не хочу! *(Подходит к Саше и ласково.)* Ты меня извини, Шурочка, может быть, твоя свадьба умная, честная, возвышенная, с принципами, но что-то в ней не то, не то! Не походит она на другие свадьбы. Ты — молодая, свежая, чистая, как стеклышко, красивая, а он — вдовец, истрепался, обносился. И не понимаю я его, бог с ним. *(Целует дочь.)* Шурочка, прости, но что-то не совсем чисто. Уж очень много люди говорят. Как-то так у него эта Сарра умерла, потом как-то вдруг почему-то на тебе жениться захотел... *(Живо.)* Впрочем, я баба, баба. Обабился, как старый кринолин. Не слушай меня. Никого, себя только слушай.

Саша. Папа, я и сама чувствую, что не то... Не то, не то, не то. Если бы ты знал, как мне тяжело! Невыносимо! Мне неловко и страшно сознаваться в этом. Папа, голубчик, ты меня подбодри, ради бога... научи, что делать.

Лебедев. Что такое? Что?

Саша. Так страшно, как никогда не было! *(Оглядывается.)* Мне кажется, что я его не понимаю и никогда не пойму. За все время, пока я его невеста, он ни разу не улыбнулся, ни разу не взглянул мне прямо в глаза. Вечно жалобы, раскаяние в чем-то, намеки на какую-то вину, дрожь... Я утомилась. Бывают даже минуты, когда мне кажется, что я... я его люблю не так сильно, как нужно. А когда он приезжает к нам или говорит со мною, мне становится скучно. Что это все значит, папочка? Страшно!

Лебедев. Голубушка моя, дитя мое единственное, послушай старого отца. Откажи ему!

Саша *(испуганно)*. Что ты, что ты!

Лебедев. Право, Шурочка. Скандал будет, весь уезд языками затрезвонит, но ведь лучше пережить скандал, чем губить себя на всю жизнь.

Саша. Не говори, не говори, папа! И слушать не хочу. Надо бороться с мрачными мыслями. Он хороший, несчастный, непонятый человек; я буду его любить, пойму, поставлю его на ноги. Я исполню свою задачу. Решено!

Лебедев. Не задача это, а психопатия.

Саша. Довольно. Я покаялась тебе, в чем не хотела сознаться даже самой себе. Никому не говори. Забудем.

Лебедев. Ничего я не понимаю. Или я отупел от старости, или все вы очень уж умны стали, а только я, хоть зарежьте, ничего не понимаю.

V

Те же и Шабельский.

Шабельский *(входя)*. Черт бы побрал всех и меня в том числе! Возмутительно!

Лебедев. Тебе что?

Шабельский. Нет, серьезно, нужно во что бы то ни стало устроить себе какую-нибудь гнусность, подлость, чтоб не только мне, но и всем противно стало. И я устрою. Честное слово! Я уж сказал Боркину, чтобы он объявил меня сегодня женихом. *(Смеется.)* Все подлы, и я буду подл.

Лебедев. Надоел ты мне! Слушай, Матвей, договоришься ты до того, что тебя, извини за выражение, в желтый дом свезут.

Шабельский. А чем желтый дом хуже любого белого или красного дома? Сделай милость, хоть сейчас меня туда вези. Сделай милость. Все подленькие, маленькие, ничтожные, бездарные, сам я гадок себе, не верю ни одному своему слову...

Лебедев. Знаешь что, брат? Возьми в рот паклю, зажги и дыши на людей. Или еще лучше: возьми свою шапку и поезжай домой. Тут свадьба, все веселятся, а ты — кра-кра, как ворона. Да, право...

Шабельский склоняется к пианино и рыдает.

Батюшки!.. Матвей!.. граф!.. Что с тобою? Матюша, родной мой... ангел мой... Я обидел тебя? Ну прости меня, старую собаку... Прости пьяницу... Воды выпей...

Шабельский. Не нужно. *(Поднимает голову.)*

Лебедев. Чего ты плачешь?

Шабельский. Ничего, так...

Лебедев. Нет, Матюша, не лги... отчего? Что за причина?

Шабельский. Взглянул я сейчас на эту виолончель и... и жидовочку вспомнил...

Лебедев. Эва, когда нашел вспоминать! Царство ей небесное, вечный покой, а вспоминать не время...

Шабельский. Мы с нею дуэты играли... Чудная, превосходная женщина!

Саша рыдает.

Лебедев. Ты еще что? Будет тебе! Господи, ревут оба, а я... я... Хоть уйдите отсюда, гости увидят!

Шабельский. Паша, когда солнце светит, то и на кладбище весело. Когда есть надежда, то и в старости хорошо. А у меня ни одной надежды, ни одной!

Лебедев. Да, действительно тебе плоховато... Ни детей у тебя, ни денег, ни занятий... Ну да что делать! *(Саше.)* А ты-то чего?

Шабельский. Паша, дай мне денег. На том свете мы поквитаемся. Я съезжу в Париж, погляжу на могилу жены. В своей жизни я много давал, роздал половину своего состояния, а потому имею право просить. К тому же прошу я у друга...

Лебедев *(растерянно)*. Голубчик, у меня ни копейки! Впрочем, хорошо, хорошо! То есть я не обещаю, а понимаешь ли... отлично, отлично! *(В сторону.)* Замучили!

VI

Те же, Бабакина и потом Зинаида Савишна.

Бабакина *(входит)*. Где же мой кавалер? Граф, как вы смеете оставлять меня одну? У, противный! *(Бьет графа веером по руке.)*

Шабельский *(брезгливо)*. Оставьте меня в покое! Я вас ненавижу!

Бабакина *(оторопело).* Что?.. А?..

Шабельский. Отойдите прочь!

Бабакина *(падает в кресло).* Ах! *(Плачет.)*

Зинаида Савишна *(входит, плача).* Там кто-то приехал... Кажется, женихов шафер. Благословлять время... *(Рыдает.)*

Саша *(умоляюще).* Мама!

Лебедев. Ну, все заревели! Квартет! Да будет нам сырость разводить! Матвей!.. Марфа Егоровна!.. Ведь этак и я... я заплачу... *(Плачет.)* Господи!

Зинаида Савишна. Если тебе мать не нужна, если без послушания... то сделаю тебе такое удовольствие, благословлю...

Входит Иванов; он во фраке и перчатках.

VII

Те же и Иванов.

Лебедев. Этого еще недоставало! Что такое?

Саша. Зачем ты?

Иванов. Виноват, господа, позвольте мне поговорить с Сашей наедине.

Лебедев. Это непорядок, чтоб до венца к невесте приезжать! Тебе пора ехать в церковь!

Иванов. Паша, я прошу...

Лебедев пожимает плечами; он, Зинаида Савишна, граф и Бабакина уходят.

VIII

Иванов и Саша.

Саша *(сурово).* Что тебе нужно?

Иванов. Меня душит злоба, но я могу говорить хладнокровно. Слушай. Сейчас я одевался к венцу, взглянул на себя в зеркало, а у меня на висках... седины. Шура, не надо! Пока еще не поздно, нужно прекратить эту бессмысленную комедию... Ты молода, чиста, у тебя впереди жизнь, а я...

Саша. Все это не ново, слышала я уже тысячу раз, и мне надоело! Поезжай в церковь, не задерживай людей.

Иванов. Я сейчас уеду домой, а ты объяви своим, что свадьбы не будет. Объясни им как-нибудь. Пора взяться за ум. Поиграл я Гамлета, а ты возвышенную девицу — и будет с нас.

Саша *(вспыхнув)*. Это что за тон? Я не слушаю.

Иванов. А я говорю и буду говорить.

Саша. Ты зачем приехал? Твое нытье переходит в издевательство.

Иванов. Нет, уж я не ною! Издевательство? Да, я издеваюсь. И если бы можно было издеваться над самим собою в тысячу раз сильнее и заставить хохотать весь свет, то я бы это сделал! Взглянул я на себя в зеркало — и в моей совести точно ядро лопнуло! Я надсмеялся над собою и от стыда едва не сошел с ума. *(Смеется.)* Меланхолия! Благородная тоска! Безотчетная скорбь! Недостает еще, чтобы я стихи писал. Ныть, петь Лазаря, нагонять тоску на людей, сознавать, что энергия жизни утрачена навсегда, что я заржавел, отжил свое, что я поддался слабодушию и по уши увяз в этой гнусной меланхолии, — сознавать это, когда солнце ярко светит, когда даже муравей тащит свою ношу и доволен собою, — нет, слуга покорный! Видеть, как одни считают тебя за шарлатана, другие сожалеют, третьи протягивают руку помощи, четвертые, — что всего хуже, — с благоговением прислушиваются к твоим вздохам, глядят на тебя как на второго Магомета и ждут, что вот-вот ты объявишь им новую религию... Нет, слава богу, у меня еще есть гордость и совесть! Ехал я сюда, смеялся над собою, и мне казалось, что надо мною смеются птицы, смеются деревья...

Саша. Это не злость, а сумасшествие!

Иванов. Ты думаешь? Нет, я не сумасшедший. Теперь я вижу вещи в настоящем свете, и моя мысль так же чиста, как твоя совесть. Мы любим друг друга, но свадьбе нашей не быть! Я сам могу беситься и киснуть сколько мне угодно, но я не имею права губить других! Своим нытьем я отравил жене последний год ее жизни. Пока ты моя невеста, ты разучилась смеяться и постарела на пять лет. Твой отец, для которого было все ясно в жизни, по моей милости перестал понимать людей. Еду ли я на съезд, в гости, на охоту, куда ни пойду, всюду вношу с собою скуку, уныние, недовольство. Постой, не перебивай! Я резок, свиреп, но, прости, злоба душит меня, и иначе говорить я не могу. Никогда я не лгал, не клеветал на жизнь, но, ставши брюзгой, я, против воли, сам того не замечая, клевещу на нее, ропщу на судьбу, жалуюсь, и всякий, слушая меня, заражается отвращением к жизни и тоже начинает клеветать. А какой тон! Точно я делаю одолжение природе, что живу. Да черт меня возьми!

Саша. Постой... Из того, что ты сейчас сказал, следует, что нытье тебе надоело и что пора начать новую жизнь!.. И отлично!..

Иванов. Ничего я отличного не вижу. И какая там новая жизнь? Я погиб безвозвратно! Пора нам обоим понять это. Новая жизнь!

Саша. Николай, опомнись! Откуда видно, что ты погиб? Что за цинизм такой? Нет, не хочу ни говорить, ни слушать... Поезжай в церковь!

Иванов. Погиб!

Саша. Не кричи так, гости услышат!

Иванов. Если неглупый, образованный и здоровый человек без всякой видимой причины стал петь Лазаря и покатил вниз по наклонной плоскости, то он катит уже без удержа, и нет ему спасения! Ну, где мое спасение? В чем? Пить я не могу — голова болит от вина; плохих стихов писать — не умею, молиться на свою душевную лень и видеть в ней нечто превыспреннее — не могу. Лень и есть лень, слабость есть слабость — других названий у меня нет. Погиб, погиб — и разговоров быть не может! *(Оглядывается.)* Нам могут помешать. Слушай. Если ты меня любишь, то помоги мне. Сию же минуту, немедля откажись от меня! Скорее...

Саша. Ах, Николай, если бы ты знал, как ты меня утомил! Как измучил ты мою душу! Добрый, умный человек, посуди: ну можно ли задавать такие задачи? Что ни день, то задача, одна труднее другой... Хотела я деятельной любви, но ведь это мученическая любовь!

Иванов. А когда ты станешь моею женой, задачи будут еще сложней. Откажись же! Пойми: в тебе говорит не любовь, а упрямство честной натуры. Ты задалась целью во что бы то ни стало воскресить во мне человека, спасти, тебе льстило, что ты совершаешь подвиг... Теперь ты готова отступить назад, но тебе мешает ложное чувство. Пойми!

Саша. Какая у тебя странная, дикая логика! Ну, могу ли я от тебя отказаться? Как я откажусь? У тебя ни матери, ни сестры, ни друзей... Ты разорен, имение твое растащили, на тебя кругом клевещут...

Иванов. Глупо я сделал, что сюда приехал. Мне нужно было бы поступить так, как я хотел...

Входит Лебедев.

IX

Те же и Лебедев.

Саша *(бежит навстречу отцу)*. Папа, ради бога, прибежал он сюда как бешеный и мучает меня! Требует, чтобы я отказалась от него, не хочет губить меня. Скажи ему, что я не хочу его великодушия! Я знаю, что делаю.

Лебедев. Ничего не понимаю... Какое великодушие?

Иванов. Свадьбы не будет!

Саша. Будет! Папа, скажи ему, что свадьба будет!

Лебедев. Постой, постой!.. Почему же ты не хочешь, чтобы была свадьба?

Иванов. Я объяснил ей почему, но она не хочет понимать.

Лебедев. Нет, ты не ей, а мне объясни, да так объясни, чтобы я понял! Ах, Николай Алексеевич! Бог тебе судья! Столько ты напустил туману в нашу жизнь, что я точно в кунсткамере живу: гляжу и ничего не понимаю... Просто наказание... Ну, что мне прикажешь, старику, с тобою делать? На дуэль тебя вызвать, что ли?

Иванов. Никакой дуэли не нужно. Нужно иметь только голову на плечах и понимать русский язык.

Саша *(ходит в волнении по сцене)*. Это ужасно, ужасно! Просто как ребенок!

Лебедев. Остается только руками развести и больше ничего. Послушай, Николай! По-твоему, все это у тебя умно, тонко, по всем правилам психологии, а по-моему, это скандал и несчастие. Выслушай меня, старика, в последний раз! Вот что я тебе скажу: успокой свой ум! Гляди на вещи просто, как все глядят! На этом свете все просто. Потолок белый, сапоги черные, сахар сладкий. Ты Сашу любишь, она тебя любит. Коли любишь — оставайся, не любишь — уходи, в претензии не будем. Ведь это так просто! Оба вы здоровые, умные, нравственные, и сыты, слава богу, и одеты... Что ж тебе еще нужно? Денег нет? Велика важность! Не в деньгах счастье... Конечно, я понимаю... имение у тебя заложено, процентов нечем платить, но я — отец, я понимаю... Мать как хочет, бог с ней; не дает денег — не нужно. Шурка говорит, что не нуждается в приданом. Принципы, Шопенгауэр... Все это чепуха... Есть у меня в банке заветные десять тысяч... *(Оглядывается.)* Про них в доме ни одна собака не знает... Бабушкины... Это вам обоим... Берите, только уговор лучше денег: Матвею дайте тысячи две...

В зале собираются гости.

Иванов. Паша, разговоры ни к чему. Я поступаю так, как велит мне моя совесть.

Саша. И я поступаю так, как велит мне моя совесть. Можешь говорить что угодно, я тебя не отпущу. Папа, сейчас благословлять! Пойду позову маму... *(Уходит.)*

X

Иванов и Лебедев.

Лебедев. Ничего не понимаю...

Иванов. Слушай, бедняга... Объяснять тебе, кто я — честен или подл, здоров или психопат, я не стану. Тебе не втолкуешь. Был я молодым, горячим, искренним, неглупым; любил, ненавидел и верил не так, как все, работал и надеялся за десятерых, сражался с мельницами, бился лбом об стены; не соразмерив своих сил, не рассуждая, не зная жизни, я взвалил на себя ношу, от которой сразу захрустела спина и потянулись жилы; я спешил расходовать себя на одну только молодость, пьянел, возбуждался, работал; не знал меры. И скажи: можно ли было иначе? Ведь нас мало, а работы много, много! Боже, как много! И вот как жестоко мстит мне жизнь, с которою я боролся! Надорвался я! В тридцать лет уже похмелье, я стар, я уже надел халат. С тяжелою головой, с ленивою душой, утомленный, надорванный, надломленный, без веры, без любви, без цели, как тень, слоняюсь я среди людей и не знаю: кто я, зачем живу, чего хочу? И мне уже кажется, что любовь — вздор, ласки приторны, что в труде нет смысла, что песня и горячие речи пошлы и стары. И всюду я вношу с собою тоску, холодную скуку, недовольство, отвращение к жизни... Погиб безвозвратно! Перед тобою стоит человек, в тридцать пять лет уже утомленный, разочарованный, раздавленный своими ничтожными подвигами; он сгорает со стыда, издевается над своею слабостью... О, как возмущается во мне гордость, какое душит меня бешенство! *(Пошатываясь.)* Эка, как я уходил себя! Даже шатаюсь... Ослабел я. Где Матвей? Пусть он свезет меня домой.

Голоса в зале. Жених шафер приехал!

XI

Те же, Шабельский, Боркин и потом Львов и Саша.

Шабельский *(входя)*. В чужом, поношенном фраке... без перчаток... и сколько за это насмешливых взглядов, глупых острот, пошлых улыбок... Отвратительные людишки!

Боркин *(быстро входит с букетом; он во фраке, с шаферским цветком)*. Уф! Где же он? *(Иванову.)* Вас в церкви давно ждут, а вы тут философию разводите. Вот комик! Ей-богу, комик! Ведь вам надо не с невестой ехать, а отдельно со мною, за невестой же я приеду из церкви. Неужели вы даже этого не понимаете? Положительно, комик!

Львов *(входит, Иванову)*. А, вы здесь? *(Громко.)* Николай Алексеевич Иванов, объявляю во всеуслышание, что вы подлец!

Иванов *(холодно)*. Покорнейше благодарю.

Общее замешательство.

Боркин *(Львову)*. Милостивый государь, это низко! Я вызываю вас на дуэль!

Львов. Господин Боркин, я считаю для себя унизительным не только драться, но даже говорить с вами! А господин Иванов может получить удовлетворение, когда ему угодно.

Шабельский. Милостивый государь, я дерусь с вами!

С а ш а *(Львову).* За что? За что вы его оскорбили? Господа, позвольте, пусть он мне скажет: за что?

Л ь в о в. Александра Павловна, я оскорблял не голословно. Я пришел сюда как честный человек, чтобы раскрыть вам глаза, и прошу вас выслушать меня.

С а ш а. Что вы можете сказать? Что вы честный человек? Это весь свет знает! Вы лучше скажите мне по чистой совести: понимаете вы себя или нет! Вошли вы сейчас сюда как честный человек и нанесли ему страшное оскорбление, которое едва не убило меня; раньше, когда вы преследовали его, как тень, и мешали ему жить, вы были уверены, что исполняете свой долг, что вы честный человек. Вы вмешивались в его частную жизнь, злословили и судили его где только можно было, забрасывали меня и всех знакомых анонимными письмами,— и все время вы думали, что вы честный человек. Думая, что это честно, вы, доктор, не щадили даже его больной жены и не давали ей покоя своими подозрениями. И какое бы насилие, какую жестокую подлость вы ни сделали, вам все бы казалось, что вы необыкновенно честный и передовой человек!

И в а н о в *(смеясь).* Не свадьба, а парламент! Браво, браво!..

С а ш а *(Львову).* Вот теперь и подумайте: понимаете вы себя или нет? Тупые, бессердечные люди! *(Берет Иванова за руку.)* Пойдем отсюда, Николай! Отец, пойдем!

И в а н о в. Куда там пойдем? Постой, я сейчас все это кончу! Проснулась во мне молодость, заговорил прежний Иванов! *(Вынимает револьвер.)*

Саша *(вскрикивает)*. Я знаю, что он хочет сделать! Николай, бога ради!

Иванов. Долго катил вниз по наклону, теперь стой! Пора и честь знать! Отойдите! Спасибо, Саша!

Саша *(кричит)*. Николай, бога ради! Удержите!

Иванов. Оставьте меня! *(Отбегает в сторону и застреливается.)*

Занавес

Свадьба

Сцена в одном действии

ДЕЙСТВУЮЩИЕ ЛИЦА

Евдоким Захарович Жигалов, отставной коллежский регистратор.

Настасья Тимофеевна, его жена.

Дашенька, их дочь.

Эпаминонд Максимович Апломбов, ее жених.

Федор Яковлевич Ревунов-Караулов, капитан 2-го ранга в отставке.

Андрей Андреевич Нюнин, агент страхового общества.

Анна Мартыновна Змеюкина, акушерка 30 лет, в ярко-пунцовом платье.

Иван Михайлович Ять, телеграфист.

Харлампий Спиридонович Дымба, грек-кондитер.

Дмитрий Степанович Мозговой, матрос из Добровольного флота.

Шафера, кавалеры, лакеи и проч.

Действие происходит в одной из зал кухмистера Андронова.

Ярко освещенная зала. Большой стол, накрытый для ужина. Около стола хлопочут лакеи во фраках. За сценой музыка играет последнюю фигуру кадрили.

Змеюкина, Ять и шафер *(идут через сцену)*.

Змеюкина. Нет, нет, нет!

Ять *(идя за ней)*. Сжальтесь! Сжальтесь!

Змеюкина. Нет, нет, нет!

Шафер *(спеша за ними)*. Господа, так нельзя! Куда же вы? А гран-рон? Гран-рон, силь-ву-пле!

Уходят.

Входят Настасья Тимофеевна и Апломбов.

Настасья Тимофеевна. Чем тревожить меня разными словами, вы бы лучше шли танцевать.

Апломбов. Я не Спиноза какой-нибудь, чтоб выделывать ногами кренделя. Я человек положительный и с характером и не вижу никакого развлечения в пустых удовольствиях. Но дело не в танцах. Простите, maman, но я многого не понимаю в ваших поступках. Например, кроме предметов домашней необходимости, вы обещали также дать мне за вашей дочерью два выигрышных билета. Где они?

Настасья Тимофеевна. Голова у меня что-то разболелась... Должно, к непогоде... Быть оттепели!

Апломбов. Вы мне зубов не заговаривайте. Сегодня же я узнал, что ваши билеты в залоге. Извините, maman, но так поступают одни только эксплоататоры. Я ведь это не из эгоистицизма — мне ваши билеты не нужны, но я из принципа, и надувать себя никому не позволю. Я вашу дочь осчастливил, и если вы мне не отдадите сегодня билетов, то я вашу дочь с кашей съем. Я человек благородный!

Настасья Тимофеевна *(оглядывая стол и считая приборы)*. Раз, два, три, четыре, пять...

Лакей. Повар спрашивает, как прикажете подавать мороженое: с ромом, с мадерой или без никого?

Апломбов. С ромом. Да скажи хозяину, что вина мало. Скажи, чтоб еще го-сотерну поставил. *(Настасье Тимофеевне.)* Вы также обещали, и уговор такой был, что сегодня за ужином будет генерал. А где он, спрашивается?

Настасья Тимофеевна. Это, батюшка, не я виновата.

Апломбов. Кто же?

Настасья Тимофеевна. Андрей Андреич виноват... Вчерась он был и обещал привесть самого настоящего генерала. *(Вздыхает.)* Должно, не нашел нигде, а то привел бы... Нешто нам жалко? Для родного дитя мы ничего не пожалеем. Генерал так генерал...

Апломбов. Но дальше... Всем, в том числе и вам, maman, известно, что за Дашенькой, пока я не сделал ей предложения, ухаживал этот телеграфист Ять. Зачем вы его пригласили? Разве вы не знали, что мне это неприятно?

Настасья Тимофеевна. Ох, как тебя? — Эпаминонд Максимыч, еще и дня нет, как женился, а уж замучил ты и меня, и Дашеньку своими разговорами. А что будет через год? Нудный ты, ух нудный!

Апломбов. Не нравится правду слушать? Ага! То-то! А вы поступайте благородно. Я от вас хочу только одного: будьте благородны!

Через залу из одной двери в другую проходят пары танцующих grand-rond. В передней паре шафер с Дашенькой, в задней Ять со Змеюкиной. Последняя пара отстает и остается в зале.

Жигалов и Дымба входят и идут к столу.

Шафер *(кричит)*. Променад! Мсье, променад! *(За сценой.)* Променад!

Пары уходят.

Ять *(Змеюкиной)*. Сжальтесь! Сжальтесь, очаровательная Анна Мартыновна!

Змеюкина. Ах, какой вы... Я уже вам сказала, что я сегодня не в голосе.

Ять. Умоляю вас, спойте! Одну только ноту! Сжальтесь! Одну только ноту!

Змеюкина. Надоели... *(Садится и машет веером.)*

Ять. Нет, вы просто безжалостны! У такого жестокого создания, позвольте вам выразиться, и такой чудный, чудный голос! С таким голосом, извините за выражение, не акушерством заниматься, а концерты петь в публичных собраниях! Например, как божественно выходит у вас вот эта фиоритура... вот эта... *(Напевает.)* «Я вас любил, любовь еще напрасно...» Чудно!

Змеюкина *(напевает)*. «Я вас любил, любовь еще, быть может...» Это?

Ять. Вот это самое! Чудно!

Змеюкина. Нет, я не в голосе сегодня. Нате, махайте на меня веером... Жарко! *(Апломбову.)* Эпаминонд Максимыч, что это вы в меланхолии? Разве жениху можно так? Как вам не стыдно, противный? Ну, о чем вы задумались?

Апломбов. Женитьба шаг серьезный! Надо все обдумать всесторонне, обстоятельно.

Змеюкина. Какие вы все противные скептики! Возле вас я задыхаюсь... Дайте мне атмосферы! Слышите? Дайте мне атмосферы! *(Напевает.)*

Ять. Чудно! Чудно!

Змеюкина. Махайте на меня, махайте, а то я чувствую, у меня сейчас будет разрыв сердца. Скажите, пожалуйста, отчего мне так душно?

Ять. Это оттого, что вы вспотели-с...

Змеюкина. Фуй, как вы вульгарны! Не смейте так выражаться!

Ять. Виноват! Конечно, вы привыкли, извините за выражение, к аристократическому обществу и...

Змеюкина. Ах, оставьте меня в покое! Дайте мне поэзии, восторгов! Махайте, махайте...

Жигалов *(Дымбе)*. Повторим, что ли? *(Наливает.)* Пить во всякую минуту можно. Главное действие, Харлампий Спиридоныч, чтоб дело свое не забывать.

Пей, да дело разумей... А ежели насчет выпить, то почему не выпить? Выпить можно... За ваше здоровье!

Пьют.

А тигры у вас в Греции есть?

Дымба. Есть.

Жигалов. А львы?

Дымба. И львы есть. Это в России ницего нету, а в Греции все есть. Там у меня и отец, и дядя, и братья, а тут ницего нету.

Жигалов. Гм... А кашалоты в Греции есть?

Дымба. Все есть.

Настасья Тимофеевна *(мужу)*. Что ж зря-то пить и закусывать? Пора бы уж всем садиться. Не тыкай вилкой в омары... Это для генерала поставлено. Может, еще придет...

Жигалов. А омары в Греции есть?

Дымба. Есть... Там все есть.

Жигалов. Гм... А коллежские регистраторы есть?

Змеюкина. Воображаю, какая в Греции атмосфера!

Жигалов. И должно быть, жульничества много. Греки ведь все равно что армяне или цыганы. Продает тебе губку или золотую рыбку, а сам так и норовит, чтоб содрать с тебя лишнее. Повторим, что ли?

Настасья Тимофеевна. Что ж зря повторять? Всем бы уж пора садиться. Двенадцатый час...

Жигалов. Садиться так садиться. Господа, покорнейше прошу! Пожалуйте! *(Кричит.)* Ужинать! Молодые люди!

Настасья Тимофеевна. Дорогие гости, милости просим! Садитесь!

Змеюкина *(садясь за стол)*. Дайте мне поэзии! А он, мятежный, ищет бури, как будто в бурях есть покой. Дайте мне бурю!

Ять *(в сторону)*. Замечательная женщина! Влюблен! По уши влюблен!

Входят Дашенька, Мозговой, шафера, кавалеры, барышни и проч. Все шумно усаживаются за стол; минутная пауза; музыка играет марш.

Мозговой *(вставая)*. Господа! Я должен сказать вам следующее... У нас приготовлено очень много тостов и речей. Не будем дожидаться и начнем сейчас же. Господа, предлагаю выпить тост за новобрачных!

Музыка играет туш. Ура. Чоканье.

Мозговой. Горько!

Все. Горько! Горько!

Апломбов и Дашенька целуются.

Ять. Чудно! Чудно! Я должен вам выразиться, господа, и отдать должную справедливость, что эта зала и вообще помещение великолепны! Превосходно, очаровательно! Только знаете, чего не хватает для полного торжества? Электрического освещения, извините за выражение! Во всех странах уже введено электрическое освещение, и одна только Россия отстала.

Жигалов *(глубокомысленно)*. Электричество... Гм... А по моему взгляду, электрическое освещение — одно только жульничество... Всунут туда уголек, да и думают глаза отвести! Нет, брат, уж если ты даешь освещение, то ты давай не уголек, а что-нибудь существенное, этакое что-нибудь особенное, чтоб было за что взяться! Ты давай огня — понимаешь? — огня, который натуральный, а не умственный!

Ять. Ежели бы вы видели электрическую батарею, из чего она составлена, то иначе бы рассуждали.

Жигалов. И не желаю видеть. Жульничество. Народ простой надувают... Соки последние выжимают... Знаем их, этих самых... А вы, господин молодой человек, чем за жульничество заступаться, лучше бы выпили и другим налили. Да право!

Апломбов. Я с вами, папаша, вполне согласен. К чему заводить ученые разговоры? Я не прочь и сам поговорить о всевозможных открытиях в научном смысле, но ведь на это есть другое время! *(Дашеньке.)* Ты какого мнения, машер[1]?

Дашенька. Они хочут свою образованность показать и всегда говорят о непонятном.

Настасья Тимофеевна. Слава богу, прожили век без образования и вот уж третью дочку за хорошего человека выдаем. А ежели мы, по-вашему, выходим необразованные, так зачем вы к нам ходите? Шли бы к своим образованным!

Ять. Я, Настасья Тимофеевна, всегда уважал ваше семейство, а ежели я насчет электрического освещения, так это еще не значит, что я из гордости. Даже вот выпить могу. Я всегда от всех чувств желал Дарье Евдокимовне хорошего жениха. В наше время, Настасья Тимофеевна, трудно выйти за хорошего человека. Нынче каждый норовит вступить в брак из-за интереса, из-за денег...

Апломбов. Это намек!

Ять *(струсив)*. И никакого тут нет намека... Я не говорю о присутствующих... Это я так... вообще... Помилуйте! Все знают, что вы из-за любви... Приданое пустяшное.

Настасья Тимофеевна. Нет, не пустяшное! Ты говори, сударь, да не заговаривайся. Кроме того, что тысячу рублей чистыми деньгами, мы три салопа даем, постель и всю мебель. Подика-сь найди в другом месте такое приданое!

---

[1] Дорогая (*фр.* ma chère).

Ять. Я ничего... Мебель, действительно, хорошая и... и салопы, конечно, но я в том смысле, что вот они обижаются, что я намекнул.

Настасья Тимофеевна. А вы не намекайте. Мы вас по вашим родителям почитаем и на свадьбу пригласили, а вы разные слова. А ежели вы знали, что Эпаминонд Максимыч из интересу женится, то что же вы раньше молчали? *(Слезливо.)* Я ее, может, вскормила, вспоила, взлелеяла... берегла пуще алмаза изумрудного, деточку мою...

Апломбов. И вы поверили? Покорнейше вас благодарю! Очень вам благодарен! *(Ятю.)* А вы, господин Ять, хоть и знакомый мне, а я вам не позволю строить в чужом доме такие безобразия! Позвольте вам выйти вон!

Ять. То есть как?

Апломбов. Желаю, чтобы и вы были таким же честным человеком, как я! Одним словом, позвольте вам выйти вон!

Музыка играет туш.

Кавалеры *(Апломбову)*. Да оставь! Будет тебе! Ну стоит ли? Садись! Оставь!

Ять. Я ничего... Я ведь... Не понимаю даже... Извольте, я уйду... Только вы отдайте мне сначала пять рублей, что вы брали у меня в прошлом году на жилетку пике, извините за выражение. Выпью вот еще и... и уйду, только вы сначала долг отдайте.

Кавалеры. Ну будет, будет! Довольно! Стоит ли из-за пустяков?

Шафер *(кричит)*. За здоровье родителей невесты Евдокима Захарыча и Настасьи Тимофеевны!

Музыка играет туш. Ура.

Жигалов *(растроганный, кланяется во все стороны).* Благодарю вас! Дорогие гости! Очень вам благодарен, что вы нас не забыли и пожаловали, не побрезгали!.. И не подумайте, чтоб я был выжига какой или жульничество с моей стороны, а просто из чувств! От прямоты души! Для хороших людей ничего не пожалею! Благодарим покорно! *(Целуется.)*

Дашенька *(матери).* Мамаша, что же вы плачете? Я так счастлива!

Апломбов. Maman взволнована предстоящей разлукой. Но я посоветовал бы ей лучше вспомнить наш недавний разговор.

Ять. Не плачьте, Настасья Тимофеевна! Вы подумайте: что такое слезы человеческие? Малодушная психиатрия и больше ничего!

Жигалов. А рыжики в Греции есть?

Дымба. Есть. Там все есть.

Жигалов. А вот груздей небось нету.

Дымба. И грузди есть. Все есть.

Мозговой. Харлампий Спиридоныч, ваша очередь читать речь! Господа, пусть говорит речь!

Все *(Дымбе).* Речь! речь! Ваша очередь!

Дымба. Зацем? Я не понимаю которое... Сто такое?

Змеюкина. Нет, нет! Не смейте отказываться! Ваша очередь! Вставайте!

Дымба *(встает, смущенно).* Я могу говорить такое... Которая Россия и которая Греция. Теперь которые люди в России и которые в Греции... И которые по морю плавают карбвия, по русскому знацит корабли, а по земле разные которые зелезные дороги. Я хоросо понимаю... Мы греки, вы русские, и мне ницего не надо... Я могу говорить такое... Которая Россия и которая Греция.

Входит Нюнин.

Нюнин. Постойте, господа, не ешьте! Погодите! Настасья Тимофеевна, на минуточку! Пожалуйте сюда! *(Ведет Настасью Тимофеевну в сторону, запыхавшись.)* Послушайте... Сейчас придет генерал... Наконец нашел-таки... Просто замучился... Генерал настоящий, солидный такой, старый, лет, пожалуй, восемьдесят, а то и девяносто...

Настасья Тимофеевна. Когда же он придет?

Нюнин. Сию минуту. Будете всю жизнь мне благодарны. Не генерал, а малина, Буланже! Не пехота какая-нибудь, не инфантерия, а флотский! По чину он капитан второго ранга, а по-ихнему, морскому, это все равно что генерал-майор, или в гражданской — действительный статский советник. Решительно все равно. Даже выше.

Настасья Тимофеевна. А ты меня не обманываешь, Андрюшенька?

Нюнин. Ну вот, мошенник я, что ли? Будьте покойны!

Настасья Тимофеевна *(вздыхая)*. Не хочется зря деньги тратить, Андрюшенька...

Нюнин. Будьте покойны! Не генерал, а картина! *(Возвышая голос.)* Я и говорю: «Совсем, говорю, забыли нас, ваше превосходительство! Нехорошо, ваше превосходительство, старых знакомых забывать! Настасья, говорю, Тимофеевна на вас в большой претензии!» *(Идет к столу и садится.)* А он говорит: «Помилуй, мой друг, как же я пойду, если я с женихом не знаком?» — «Э, полноте, ваше превосходительство, что за церемонии? Жених, говорю, человек прекраснейший, душа нараспашку. Служит, говорю, оценщиком в ссудной кассе, но вы не подумайте, ваше превосходительство, что это какой-нибудь замухрышка или червонный валет. В ссудных кассах, говорю, нынче и благородные дамы служат». Похлопал он меня по плечу, выкурили мы с ним по гаванской сигаре, и вот теперь он едет... Погодите, господа, не ешьте...

Апломбов. А когда он приедет?

Нюнин. Сию минуту. Когда я уходил от него, он уже калоши надевал. Погодите, господа, не ешьте.

Апломбов. Так надо приказать, чтоб марш играли...

Нюнин *(кричит)*. Эй, музыканты! Марш!

Музыка минуту играет марш.

Лакей *(докладывает)*. Господин Ревунов-Караулов!

Жигалов, Настасья Тимофеевна и Нюнин бегут навстречу.

Входит Ревунов-Караулов.

Настасья Тимофеевна *(кланяясь)*. Милости просим, ваше превосходительство! Очень приятно!

Ревунов. Весьма!

Жигалов. Мы, ваше превосходительство, люди не знатные, не высокие, люди простые, но не подумайте, что с нашей стороны какое-нибудь жульничество. Для хороших людей у нас первое место, мы ничего не пожалеем. Милости просим!

Ревунов. Весьма рад!

Н ю н и н. Позвольте представить, ваше превосходительство! Новобрачный Эпаминонд Максимыч Апломбов со своей новорожд... то есть с новобрачной супругой! Иван Михайлыч Ять, служащий на телеграфе! Иностранец греческого звания по кондитерской части Харлампий Спиридоныч Дымба! Осип Лукич Бабельмандебский! И прочие, и прочие... Остальные все — чепуха. Садитесь, ваше превосходительство!

Р е в у н о в. Весьма! Виноват, господа, я хочу сказать Андрюше два слова. *(Отводит Нюнина в сторону.)* Я, братец, немножко сконфужен... Зачем ты зовешь меня вашим превосходительством? Ведь я не генерал! Капитан 2-го ранга — это даже ниже полковника.

Н ю н и н *(говорит ему в ухо, как глухому).* Знаю, но, Федор Яковлевич, будьте добры, позвольте нам называть вас вашим превосходительством! Семья здесь, знаете ли, патриархальная, уважает старших, любит чинопочитание...

Р е в у н о в. Да, если так, то конечно... *(Идя к столу.)* Весьма!

Н а с т а с ь я Т и м о ф е е в н а. Садитесь, ваше превосходительство! Будьте такие добрые! Кушайте, ваше превосходительство! Только извините, у себя там вы привыкли к деликатности, а у нас просто!

Р е в у н о в *(не расслышав).* Что-с? Гм... Да-с.

Пауза.

Да-с... В старину люди всегда жили просто и были довольны. Я человек, который в чинах, и то живу просто... Сегодня Андрюша приходит ко мне и зовет меня сюда на свадьбу. Как же, говорю, я пойду, если я не знаком? Это неловко! А он говорит: «Люди они простые, патриархальные, всякому гостю рады...» Ну, конечно, если так... то отчего же? Очень рад. Дома мне, одинокому, скучно, а если мое присутствие на свадьбе может доставить кому-нибудь удовольствие, то сделай, говорю, одолжение...

Жигалов. Значит, от души, ваше превосходительство? Уважаю! Сам я человек простой, без всякого жульничества, и уважаю таких. Кушайте, ваше превосходительство!

Апломбов. Вы давно в отставке, ваше превосходительство?

Ревунов. А? Да, да... так... Это верно. Да-с... Но позвольте, что же это, однако? Селедка горькая... и хлеб горький. Невозможно есть!

Все. Горько! Горько!

Апломбов и Дашенька целуются.

Ревунов. Хе-хе-хе... Ваше здоровье!

Пауза.

Да-с... В старину все просто было и все были довольны... Я люблю простоту... Я ведь старый, в отставку вышел в 1865 году... Мне семьдесят два года... Да. Конечно, не без того, и прежде любили при случае показать пышность, но... *(Увидев Мозгового.)* Вы того... матрос, стало быть?

Мозговой. Точно так.

Ревунов. Ага... Так... Да... Морская служба всегда была трудная. Есть над чем задуматься и голову поломать. Всякое незначительное слово имеет, так сказать, свой особый смысл! Например: марсовые по вантам на фок и грот! Что это значит? Матрос небось понимает! Хе-хе... Тонкость, что твоя математика!

Нюнин. За здоровье его превосходительства Федора Яковлевича Ревунова-Караулова!

Музыка играет туш. Ура.

Ять. Вот вы, ваше превосходительство, изволили сейчас выразиться насчет трудностей флотской службы. А разве телеграфная легче? Теперь, ваше превосходительство, никто не может поступить на телеграфную службу, если не умеет читать и писать по-французски и по-немецки. Но самое трудное у нас — это передача телеграмм. Ужасно трудно! Извольте послушать. *(Стучит вилкой по столу, подражая телеграфному станку.)*

Ревунов. Что же это значит?

Ять. Это значит: я уважаю вас, ваше превосходительство, за добродетели. Вы думаете, легко? А вот еще... *(Стучит.)*

Ревунов. Вы погромче... Не слышу...

Ять. А это значит: мадам, как я счастлив, что держу вас в своих объятиях!

Ревунов. Вы про какую это мадам? Да... *(Мозговому.)* А вот, если идя полным ветром и надо... и надо поставить брамсели и бом-брамсели! Тут уж надо командовать: салинговые к вантам на брамсели и бом-брамсели... и в это время, как на реях отдают паруса, внизу становятся на брам и бом-брам-шкоты, фалы и брасы...

Шафер *(вставая)*. Милостивые государи и милостивые госуд....

Ревунов *(перебивая)*. Да-с... Мало ли разных команд... Да... Брам и бом-брам-шкоты тянуть пшел фалы!! Хорошо? Но что это значит и какой смысл? А очень просто! Тянут, знаете ли, брам и бом-брам-шкоты и поднимают фалы... все вдруг! причем уравнивают бом-брам-шкоты и бом-брамфалы при подъеме, а в это время, глядя по надобности, потравливают брасы сих парусов, а когда уж, стало быть, шкоты натянуты, фалы все до места подняты, то брам и бом-брам-брасы вытягиваются и реи брасопятся соответственно направлению ветра...

Нюнин *(Ревунову)*. Федор Яковлевич, хозяйка просит вас поговорить о чем-нибудь другом. Это непонятно гостям и скучно...

Ревунов. Что? Кому скучно? *(Мозговому.)* Молодой человек! А вот ежели корабль лежит бейдевинд правым галсом под всеми парусами и надо сделать через фордевинд. Как надо командовать? А вот как: свистать всех наверх, поворот через фордевинд!.. Хе-хе...

Нюнин. Федор Яковлевич, довольно! Кушайте.

Ревунов. Как только все выбежали, сейчас командуют: по местам стоять, поворот через фордевинд! Эх, жизнь! Командуешь, а сам смотришь, как матросы, как молния, разбегаются по местам и разносят брамы и брасы. Этак не вытерпишь и крикнешь: молодцы, ребята! *(Поперхнулся и кашляет.)*

Шафер *(спешит воспользоваться наступившей паузой)*. В сегодняшний, так сказать, день, в который мы, собравшись все в кучу для чествования нашего любимого...

Ревунов *(перебивая)*. Да-с! И ведь все это надо помнить! Например: фока-шкот, грота-шкот раздернуть!..

Шафер *(обиженно)*. Что ж он перебивает? Этак мы ни одной речи не скажем!

Настасья Тимофеевна. Мы люди темные, ваше превосходительство, ничего этого самого не понимаем, а вы лучше расскажите нам что-нибудь касающее...

Ревунов *(не расслышав)*. Я уже ел, благодарю. Вы говорите: гуся? Благодарю... Да... Старину вспомнил... А ведь приятно, молодой человек! Плывешь себе по морю, горя не знаючи, и... *(дрогнувшим голосом)* помните этот восторг, когда делают поворот оверштаг! Какой моряк не зажжется при воспоминании об этом маневре?! Ведь как только раздалась команда: свистать всех наверх, поворот оверштаг — словно электрическая искра пробежала по всем. Начиная от командира и до последнего матроса — все встрепенулись...

Змеюкина. Скучно! Скучно!

Общий ропот.

Ревунов *(не расслышав)*. Благодарю, я ел. *(С увлечением.)* Все приготовилось и впилось глазами в старшего офицера... На фоковые и гротовые брасы на правую, на крюйсельные брасы на левую, на контра-брасы на левую, командует старший офицер. Все моментально исполняется... Фока-шкот, кливер-шкот раздернуть... право на борт! *(Встает.)* Корабль покатился к ветру, и, наконец, паруса начинают заполаскивать. Старший офицер: на брасах, на брасах не зевать, — а сам впился глазами в грот-марсель и, когда наконец и этот парус наполоскал, то есть момент поворота наступил, раздается громовая команда: грот-марса-булинь отдай, пшел брасы! Тут все летит, трещит — столпотворение вавилонское! — все исполняется без ошибки. Поворот удался!

Настасья Тимофеевна *(вспыхнув)*. Генерал, а безобразите... Постыдились бы на старости лет!

Ревунов. Котлет? Нет, не ел... благодарю вас.

Настасья Тимофеевна *(громко)*. Я говорю, постыдились бы на старости лет! Генерал, а безобразите!

Нюнин *(смущенно)*. Господа, ну вот... стоит ли? Право...

Ревунов. Во-первых, я не генерал, а капитан 2-го ранга, что по военной табели о рангах соответствует подполковнику.

Настасья Тимофеевна. Ежели не генерал, то за что же вы деньги взяли? И мы вам не за то деньги платили, чтоб вы безобразили!

Ревунов *(в недоумении)*. Какие деньги?

Настасья Тимофеевна. Известно какие. Небось получили через Андрея Андреевича четвертную... *(Нюнину.)* А тебе, Андрюшенька, грех! Я тебя не просила такого нанимать!

Нюнин. Ну вот... Оставьте! Стоит ли?

Ревунов. Наняли... заплатили... Что такое?

Апломбов. Позвольте, однако... Вы ведь получили от Андрея Андреевича двадцать пять рублей?

Ревунов. Какие двадцать пять рублей? *(Сообразив.)* Вот оно что! Теперь я все понимаю... Какая гадость! Какая гадость!

Апломбов. Ведь вы получили деньги?

Ревунов. Никаких я денег не получал! Подите прочь! *(Выходит из-за стола.)* Какая гадость! Какая низость! Оскорбить так старого человека, моряка, заслуженного офицера!.. Будь это порядочное общество, я мог бы вызвать на дуэль, а теперь что я могу сделать? *(Растерянно.)* Где дверь? В какую сторону идти? Человек, выведи меня! Человек! *(Идет.)* Какая низость! Какая гадость! *(Уходит.)*

Настасья Тимофеевна. Андрюшенька, где же двадцать пять рублей?

Нюнин. Ну стоит ли говорить о таких пустяках? Велика важность! Тут все радуются, а вы черт знает о чем... *(Кричит.)* За здоровье молодых! Музыка, марш! Музыка!

Музыка играет марш.

За здоровье молодых!

Змеюкина. Мне душно! Дайте мне атмосферы! Возле вас я задыхаюсь!

Ять *(в восторге)*. Чудная! Чудная!

Шум.

Шафер *(стараясь перекричать)*. Милостивые государи и милостивые государыни! В сегодняшний, так сказать, день...

Занавес

Чайка

Комедия
в четырех действиях

ДЕЙСТВУЮЩИЕ ЛИЦА

Ирина Николаевна Аркадина, по мужу Треплева, актриса.

Константин Гаврилович Треплев, ее сын, молодой человек.

Петр Николаевич Сорин, ее брат.

Нина Михайловна Заречная, молодая девушка, дочь богатого помещика.

Илья Афанасьевич Шамраев, поручик в отставке, управляющий у Сорина.

Полина Андреевна, его жена.

Маша, его дочь.

Борис Алексеевич Тригорин, беллетрист.

Евгений Сергеевич Дорн, врач.

Семен Семенович Медведенко, учитель.

Яков, работник.

Повар.

Горничная.

Действие происходит в усадьбе Сорина. — Между третьим и четвертым действием проходит два года.

ДЕЙСТВИЕ ПЕРВОЕ

Часть парка в имении Сорина. Широкая аллея, ведущая по направлению от зрителей в глубину парка к озеру, загорожена эстрадой, наскоро сколоченной для домашнего спектакля, так что озера совсем не видно. Налево и направо у эстрады кустарник. Несколько стульев, столик.

Только что зашло солнце. На эстраде за опущенным занавесом Яков и другие работники; слышатся кашель и стук. Маша и Медведенко идут слева, возвращаясь с прогулки.

Медведенко. Отчего вы всегда ходите в черном?

Маша. Это траур по моей жизни. Я несчастна.

Медведенко. Отчего? *(В раздумье.)* Не понимаю... Вы здоровы, отец у вас хотя и небогатый, но с достатком. Мне живется гораздо тяжелее, чем вам. Я получаю всего двадцать три рубля в месяц, да еще вычитают с меня в эмеритуру, а все же я не ношу траура.

Садятся.

Маша. Дело не в деньгах. И бедняк может быть счастлив.

Медведенко. Это в теории, а на практике выходит так: я, да мать, да две сестры и братишка, а жалованья всего двадцать три рубля. Ведь есть и пить надо? Чаю и сахару надо? Табаку надо? Вот тут и вертись.

Маша *(оглядываясь на эстраду)*. Скоро начнется спектакль.

Медведенко. Да. Играть будет Заречная, а пьеса сочинения Константина Гавриловича. Они влюблены друг в друга, и сегодня их души сольются в стремлении дать один и тот же художественный образ. А у моей души и у вашей нет общих точек соприкосновения. Я люблю вас, не могу от тоски сидеть дома, каждый день хожу пешком шесть верст сюда да шесть обратно и встречаю один лишь индифферентизм с вашей стороны. Это понятно. Я без средств, семья у меня большая... Какая охота идти за человека, которому самому есть нечего?

Маша. Пустяки. *(Нюхает табак.)* Ваша любовь трогает меня, но я не могу отвечать взаимностью, вот и все. *(Протягивает ему табакерку.)* Одолжайтесь.

Медведенко. Не хочется.

Пауза.

Маша. Душно, должно быть, ночью будет гроза. Вы всё философствуете или говорите о деньгах. По-вашему, нет большего несчастья, как бедность, а по-моему, в тысячу раз легче ходить в лохмотьях и побираться, чем... Впрочем, вам не понять этого...

Входят справа Сорин и Треплев.

Сорин *(опираясь на трость)*. Мне, брат, в деревне как-то не того, и, понятная вещь, никогда я тут не привыкну. Вчера лег в десять и сегодня утром проснулся в девять с таким чувством, как будто от долгого спанья у меня мозг прилип к черепу и все такое. *(Смеется.)* А после обеда нечаянно опять уснул, и теперь я весь разбит, испытываю кошмар, в конце концов...

Треплев. Правда, тебе нужно жить в городе. *(Увидев Машу и Медведенка.)* Господа, когда начнется, вас позовут, а теперь нельзя здесь. Уходите, пожалуйста.

Сорин *(Маше)*. Марья Ильинична, будьте так добры, попросите вашего папашу, чтобы он распорядился отвязать собаку, а то она воет. Сестра опять всю ночь не спала.

Маша. Говорите с моим отцом сами, а я не стану. Увольте, пожалуйста. *(Медведенку.)* Пойдемте!

Медведенко *(Треплеву)*. Так вы перед началом пришлите сказать.

Оба уходят.

Сорин. Значит, опять всю ночь будет выть собака. Вот история, никогда в деревне я не жил, как хотел. Бывало, возьмешь отпуск на двадцать восемь дней и приедешь сюда, чтобы отдохнуть и все, но тут тебя так доймут всяким вздором, что уж с первого дня хочется вон. *(Смеется.)* Всегда я уезжал отсюда с удовольствием... Ну а теперь я в отставке, деваться некуда в конце концов. Хочешь — не хочешь, живи...

Яков *(Треплеву)*. Мы, Константин Гаврилыч, купаться пойдем.

Треплев. Хорошо, только через десять минут будьте на местах. *(Смотрит на часы.)* Скоро начнется.

Яков. Слушаю. *(Уходит.)*

Треплев *(окидывая взглядом эстраду)*. Вот тебе и театр. Занавес, потом первая кулиса, потом вторая и дальше пустое пространство. Декораций никаких. Открывается вид прямо на озеро и на горизонт. Поднимем занавес ровно в половине девятого, когда взойдет луна.

Сорин. Великолепно.

Треплев. Если Заречная опоздает, то, конечно, пропадет весь эффект. Пора бы уж ей быть. Отец и мачеха стерегут ее, и вырваться ей из дому так же трудно, как из тюрьмы. *(Поправляет дяде галстук.)* Голова и борода у тебя взлохмачены. Надо бы постричься, что ли...

Сорин *(расчесывая бороду)*. Трагедия моей жизни. У меня и в молодости была такая наружность, будто я запоем пил — и все. Меня никогда не любили женщины. *(Садясь.)* Отчего сестра не в духе?

Треплев. Отчего? Скучает. *(Садясь рядом.)* Ревнует. Она уже и против меня, и против спектакля, и против моей пьесы, потому что не она играет, а Заречная. Она не знает моей пьесы, но уже ненавидит ее.

Сорин *(смеется)*. Выдумаешь, право...

Треплев. Ей уже досадно, что вот на этой маленькой сцене будет иметь успех Заречная, а не она. *(Посмотрев на часы.)* Психологический курьез — моя мать. Бесспорно талантлива, умна, способна рыдать над книжкой, отхватит тебе всего Некрасова наизусть, за больными ухаживает, как ангел; но попробуй похвалить при ней Дузе. О-го-го! Нужно хвалить только ее одну, нужно писать о ней, кричать, восторгаться ее необыкновенною игрой в «La dame aux camélias»[1] или в «Чад жизни», но так как здесь, в деревне, нет этого дур-

---

[1] «Дама с камелиями» *(фр.)*.

мана, то вот она скучает и злится, и все мы — ее враги, все мы виноваты. Затем она суеверна, боится трех свечей, тринадцатого числа. Она скупа. У нее в Одессе в банке семьдесят тысяч — это я знаю наверное. А попроси у нее взаймы, она станет плакать.

Сорин. Ты вообразил, что твоя пьеса не нравится матери, и уже волнуешься, и все. Успокойся, мать тебя обожает.

Треплев *(обрывая у цветка лепестки)*. Любит — не любит, любит — не любит, любит — не любит. *(Смеется.)* Видишь, моя мать меня не любит. Еще бы! Ей хочется жить, любить, носить светлые кофточки, а мне уже двадцать пять лет, и я постоянно напоминаю ей, что она уже не молода. Когда меня нет, ей только тридцать два года, при мне же сорок три, и за это она меня ненавидит. Она знает также, что я не признаю театра. Она любит театр, ей кажется, что она служит человечеству, святому искусству, а по-моему, современный театр — это рутина, предрассудок. Когда поднимается занавес и при вечернем освещении, в комнате с тремя стенами, эти великие таланты, жрецы святого искусства изображают, как люди едят, пьют, любят, ходят, носят свои пиджаки; когда из пошлых картин и фраз стараются выудить мораль — мораль маленькую, удобопонятную, полезную в домашнем обиходе; когда в тысяче вариаций мне подносят все одно и то же, одно и то же, одно и то же,— то я бегу и бегу, как Мопассан бежал от Эйфелевой башни, которая давила ему мозг своею пошлостью.

Сорин. Без театра нельзя.

Треплев. Нужны новые формы. Новые формы нужны, а если их нет, то лучше ничего не нужно. *(Смотрит на часы.)* Я люблю мать, сильно люблю; но она ведет бестолковую жизнь, вечно носится с этим беллетристом, имя ее постоянно треплют в газетах,— и это меня утомляет. Иногда же просто во мне говорит эгоизм обыкновенного смертного; бывает жаль, что у меня мать известная актриса, и, кажется, будь это обыкновенная женщина, то я был бы счастливее. Дядя, что может быть отчаяннее и глупее положения: бывало, у нее сидят в гостях сплошь всё знаменитости, артисты и писатели, и между ними только один я — ничто, и меня терпят только потому, что я ее сын. Кто я? Что я? Вышел из третьего курса университета по обстоятельствам, как говорится, от редакции не зависящим, никаких талантов, денег ни гроша, а по паспорту я — киевский мещанин. Мой отец ведь киевский мещанин, хотя тоже был известным актером. Так вот, когда, бывало, в ее гостиной все эти артисты и писатели обращали на меня свое милостивое внимание, то мне казалось, что своими взглядами они измеряли мое ничтожество,— я угадывал их мысли и страдал от унижения...

С о р и н. Кстати, скажи, пожалуйста, что за человек этот беллетрист? Не поймешь его. Все молчит.

Т р е п л е в. Человек умный, простой, немножко, знаешь, меланхоличный. Очень порядочный. Сорок лет будет ему еще не скоро, но он уже знаменит и сыт по горло... Что касается его писаний, то... как тебе сказать? Мило, талантливо... но... после Толстого или Зола не захочешь читать Тригорина.

С о р и н. А я, брат, люблю литераторов. Когда-то я страстно хотел двух вещей: хотел жениться и хотел стать литератором, но не удалось ни то, ни другое. Да. И маленьким литератором приятно быть в конце концов.

Треплев *(прислушивается).* Я слышу шаги... *(Обнимает дядю.)* Я без нее жить не могу... Даже звук ее шагов прекрасен... Я счастлив безумно. *(Быстро идет навстречу Нине Заречной, которая входит.)* Волшебница, мечта моя...

Нина *(взволнованно).* Я не опоздала... Конечно, я не опоздала...

Треплев *(целуя ее руки).* Нет, нет, нет...

Нина. Весь день я беспокоилась, мне было так страшно! Я боялась, что отец не пустит меня... Но он сейчас уехал с мачехой. Красное небо, уже начинает восходить луна, и я гнала лошадь, гнала. *(Смеется.)* Но я рада. *(Крепко жмет руку Сорина.)*

Сорин *(смеется).* Глазки, кажется, заплаканы... Ге-ге! Нехорошо!

Нина. Это так... Видите, как мне тяжело дышать. Через полчаса я уеду, надо спешить. Нельзя, нельзя, бога ради, не удерживайте. Отец не знает, что я здесь.

Треплев. В самом деле, уже пора начинать. Надо идти звать всех.

Сорин. Я схожу, и все. Сию минуту. *(Идет вправо и поет.)* «Во Францию два гренадера...» *(Оглядывается.)* Раз так же вот я запел, а один товарищ прокурора и говорит мне: «А у вас, ваше превосходительство, голос сильный...» Потом подумал и прибавил: «Но... противный». *(Смеется и уходит.)*

Нина. Отец и его жена не пускают меня сюда. Говорят, что здесь богема... боятся, как бы я не пошла в актрисы... А меня тянет сюда, к озеру, как чайку... Мое сердце полно вами. *(Оглядывается.)*

Треплев. Мы одни.

Нина. Кажется, кто-то там...

Треплев. Никого.

Поцелуй.

Нина. Это какое дерево?

Треплев. Вяз.

Нина. Отчего оно такое темное?

Треплев. Уже вечер, темнеют все предметы. Не уезжайте рано, умоляю вас.

Нина. Нельзя.

Треплев. А если я поеду к вам, Нина? Я всю ночь буду стоять в саду и смотреть на ваше окно.

Нина. Нельзя, вас заметит сторож. Трезор еще не привык к вам и будет лаять.

Треплев. Я люблю вас.

Нина. Тсс...

Треплев *(услышав шаги)*. Кто там? Вы, Яков?

Яков *(за эстрадой)*. Точно так.

Треплев. Становитесь по местам. Пора. Луна восходит?

Яков. Точно так.

Треплев. Спирт есть? Сера есть? Когда покажутся красные глаза, нужно, чтобы пахло серой. *(Нине.)* Идите, там все приготовлено. Вы волнуетесь?..

Нина. Да, очень. Ваша мама — ничего, ее я не боюсь, но у вас Тригорин... Играть при нем мне страшно и стыдно... Известный писатель... Он молод?

Треплев. Да.

Нина. Какие у него чудесные рассказы!

Треплев *(холодно).* Не знаю, не читал.

Нина. В вашей пьесе трудно играть. В ней нет живых лиц.

Треплев. Живые лица! Надо изображать жизнь не такою, как она есть, и не такою, как должна быть, а такою, как она представляется в мечтах.

Нина. В вашей пьесе мало действия, одна только читка. И в пьесе, по-моему, непременно должна быть любовь...

Оба уходят за эстраду.
Входят Полина Андреевна и Дорн.

Полина Андреевна. Становится сыро. Вернитесь, наденьте калоши.

Дорн. Мне жарко.

Полина Андреевна. Вы не бережете себя. Это упрямство. Вы — доктор и отлично знаете, что вам вреден сырой воздух, но вам хочется, чтобы я страдала; вы нарочно просидели вчера весь вечер на террасе...

Дорн *(напевает).* «Не говори, что молодость сгубила».

Полина Андреевна. Вы были так увлечены разговором с Ириной Николаевной... вы не замечали холода. Признайтесь, она вам нравится...

Дорн. Мне пятьдесят пять лет.

Полина Андреевна. Пустяки, для мужчины это не старость. Вы прекрасно сохранились и еще нравитесь женщинам.

Дорн. Так что же вам угодно?

Полина Андреевна. Перед актрисой вы все готовы падать ниц. Все!

Дорн *(напевает)*. «Я вновь пред тобою...» Если в обществе любят артистов и относятся к ним иначе, чем, например, к купцам, то это в порядке вещей. Это — идеализм.

Полина Андреевна. Женщины всегда влюблялись в вас и вешались на шею. Это тоже идеализм?

Дорн *(пожав плечами)*. Что ж? В отношениях женщин ко мне было много хорошего. Во мне любили главным образом превосходного врача. Лет десять—пятнадцать назад, вы помните, во всей губернии я был единственным порядочным акушером. Затем всегда я был честным человеком.

Полина Андреевна *(хватает его за руку)*. Дорогой мой!

Дорн. Тише. Идут.

Входят Аркадина под руку с Сориным, Тригорин, Шамраев, Медведенко и Маша.

Шамраев. В тысяча восемьсот семьдесят третьем году в Полтаве на ярмарке она играла изумительно. Один восторг! Чудно играла! Не изволите ли также знать, где теперь комик Чадин, Павел Семеныч? В Расплюеве был неподражаем, лучше Садовского, клянусь вам, многоуважаемая. Где он теперь?

Аркадина. Вы всё спрашиваете про каких-то допотопных. Откуда я знаю! *(Садится.)*

Шамраев *(вздохнув)*. Пашка Чадин! Таких уж нет теперь. Пала сцена, Ирина Николаевна! Прежде были могучие дубы, а теперь мы видим одни только пни.

Дорн. Блестящих дарований теперь мало, это правда, но средний актер стал гораздо выше.

Шамраев. Не могу с вами согласиться. Впрочем, это дело вкуса. De gustibus aut bene, aut nihil[1].

Треплев выходит из-за эстрады.

Аркадина *(сыну)*. Мой милый сын, когда же начало?

Треплев. Через минуту. Прошу терпения.

Аркадина *(читает из Гамлета)*. «Мой сын! Ты очи обратил мне внутрь души, и я увидела ее в таких кровавых, в таких смертельных язвах — нет спасенья!»

Треплев *(из Гамлета)*. «И для чего ж ты поддалась пороку, любви искала в бездне преступленья?»

За эстрадой играют в рожок.

Господа, начало! Прошу внимания!

Пауза.

Я начинаю. *(Стучит палочкой и говорит громко.)* О вы, почтенные, старые тени, которые носитесь в ночную пору над этим озером, усыпите нас, и пусть нам приснится то, что будет через двести тысяч лет!

Сорин. Через двести тысяч лет ничего не будет.

Треплев. Так вот пусть изобразят нам это ничего.

Аркадина. Пусть. Мы спим.

Поднимается занавес; открывается вид на озеро; луна над горизонтом, отражение ее в воде; на большом камне сидит Нина Заречная, вся в белом.

---

[1] О вкусах — или хорошо, или ничего *(лат.)*.

Нина. Люди, львы, орлы и куропатки, рогатые олени, гуси, пауки, молчаливые рыбы, обитавшие в воде, морские звезды, и те, которых нельзя было видеть глазом, — словом, все жизни, все жизни, все жизни, свершив печальный круг, угасли... Уже тысячи веков, как земля не носит на себе ни одного живого существа, и эта бедная луна напрасно зажигает свой фонарь. На лугу уже не просыпаются с криком журавли, и майских жуков не бывает слышно в липовых рощах. Холодно, холодно, холодно. Пусто, пусто, пусто. Страшно, страшно, страшно.

Пауза.

Тела живых существ исчезли в прахе, и вечная материя обратила их в камни, в воду, в облака, а души их всех слились в одну. Общая мировая душа — это я... я... Во мне душа и Александра Великого, и Цезаря, и Шекспира, и Наполеона, и последней пиявки. Во мне сознания людей слились с инстинктами животных, и я помню все, все, все, и каждую жизнь в себе самой я переживаю вновь.

Показываются болотные огни.

Аркадина *(тихо)*. Это что-то декадентское.

Треплев *(умоляюще и с упреком)*. Мама!

Нина. Я одинока. Раз в сто лет я открываю уста, чтобы говорить, и мой голос звучит в этой пустоте уныло, и никто не слышит... И вы, бледные огни, не слышите меня... Под утро вас рождает гнилое болото, и вы блуждаете до зари, но без мысли, без воли, без трепетания жизни. Боясь, чтобы в вас не возникла жизнь, отец вечной материи, дьявол, каждое мгновение в вас, как в камнях и в воде, производит обмен атомов, и вы меняетесь непрерывно. Во вселенной остается постоянным и неизменным один лишь дух.

Пауза.

Как пленник, брошенный в пустой глубокий колодец, я не знаю, где я и что меня ждет. От меня не скрыто лишь, что в упорной, жестокой борьбе с дьяволом, началом материальных сил, мне суждено победить, и после того материя и дух сольются в гармонии прекрасной и наступит царство мировой воли. Но это будет, лишь когда мало-помалу, через длинный, длинный ряд тысячелетий, и луна, и светлый Сириус, и земля обратятся в пыль... А до тех пор ужас, ужас...

Пауза; на фоне озера показываются две красных точки.

Вот приближается мой могучий противник, дьявол. Я вижу его страшные, багровые глаза...

Аркадина. Серой пахнет. Это так нужно?

Треплев. Да.

Аркадина *(смеется)*. Да, это эффект.

Треплев. Мама!

Нина. Он скучает без человека...

Полина Андреевна *(Дорну)*. Вы сняли шляпу. Наденьте, а то простудитесь.

Аркадина. Это доктор снял шляпу перед дьяволом, отцом вечной материи.

Треплев *(вспылив, громко)*. Пьеса кончена! Довольно! Занавес!

Аркадина. Что же ты сердишься?

Треплев. Довольно! Занавес! Подавай занавес! *(Топнув ногой.)* Занавес!

Занавес опускается.

Виноват! Я выпустил из вида, что писать пьесы и играть на сцене могут только немногие избранные. Я нарушил монополию! Мне... *(Хочет еще что-то сказать, но машет рукой и уходит влево.)*

Аркадина. Что с ним?

Сорин. Ирина, нельзя так, матушка, обращаться с молодым самолюбием.

Аркадина. Что же я ему сказала?

Сорин. Ты его обидела.

Аркадина. Он сам предупреждал, что это шутка, и я относилась к его пьесе, как к шутке.

Сорин. Все-таки...

Аркадина. Теперь оказывается, что он написал великое произведение! Скажите пожалуйста! Стало быть, устроил он этот спектакль и надушил серой не для шутки, а для демонстрации... Ему хотелось поучить нас, как надо писать и что нужно играть. Наконец это становится скучно. Эти постоянные вылазки против меня и шпильки, воля ваша, надоедят хоть кому! Капризный, самолюбивый мальчик.

Сорин. Он хотел доставить тебе удовольствие.

Аркадина. Да? Однако же вот он не выбрал какой-нибудь обыкновенной пьесы, а заставил нас прослушать этот декадентский бред. Ради шутки я готова слушать и бред, но ведь тут претензии на новые формы, на новую эру в искусстве. А по-моему, никаких тут новых форм нет, а просто дурной характер.

Тригорин. Каждый пишет так, как хочет и как может.

Аркадина. Пусть он пишет, как хочет и как может, только пусть оставит меня в покое.

Дорн. Юпитер, ты сердишься...

Аркадина. Я не Юпитер, а женщина. *(Закуривает.)* Я не сержусь, мне только досадно, что молодой человек так скучно проводит время. Я не хотела его обидеть.

Медведенко. Никто не имеет основания отделять дух от материи, так как, быть может, самый дух есть совокупность материальных атомов. *(Живо, Тригорину.)* А вот, знаете ли, описать бы в пьесе и потом сыграть на сцене, как живет наш брат — учитель. Трудно, трудно живется!

Аркадина. Это справедливо, но не будем говорить ни о пьесах, ни об атомах. Вечер такой славный! Слышите, господа, поют? *(Прислушивается.)* Как хорошо!

Полина Андреевна. Это на том берегу.

Пауза.

Аркадина *(Тригорину)*. Сядьте возле меня. Лет десять—пятнадцать назад здесь, на озере, музыка и пение слышались непрерывно почти каждую ночь. Тут на берегу шесть помещичьих усадеб. Помню, смех, шум, стрельба, и всё романы, романы... Jeune premier'ом[1] и кумиром всех этих шести усадеб был тогда вот, рекомендую *(кивает на Дорна)*, доктор Евгений Сергеич. И теперь он очарователен, но тогда был неотразим. Однако меня начинает мучить совесть. За что я обидела моего бедного мальчика? Я непокойна. *(Громко.)* Костя! Сын! Костя!

Маша. Я пойду поищу его.

Аркадина. Пожалуйста, милая.

Маша *(идет влево)*. Ау! Константин Гаврилович!.. Ау! *(Уходит.)*

Нина *(выходя из-за эстрады)*. Очевидно, продолжения не будет, мне можно выйти. Здравствуйте! *(Целуется с Аркадиной и Полиной Андреевной.)*

---

[1] Первым любовником *(фр.)* — театральное амплуа.

Сорин. Браво! браво!

Аркадина. Браво! браво! Мы любовались. С такою наружностью, с таким чудным голосом нельзя, грешно сидеть в деревне. У вас должен быть талант. Слышите? Вы обязаны поступить на сцену!

Нина. О, это моя мечта! *(Вздохнув.)* Но она никогда не осуществится.

Аркадина. Кто знает? Вот позвольте вам представить: Тригорин, Борис Алексеевич.

Нина. Ах, я так рада... *(Сконфузившись.)* Я всегда вас читаю...

Аркадина *(усаживая ее возле)*. Не конфузьтесь, милая. Он знаменитость, но у него простая душа. Видите, он сам сконфузился.

Дорн. Полагаю, теперь можно поднять занавес, а то жутко.

Шамраев *(громко)*. Яков, подними-ка, братец, занавес!

Занавес поднимается.

Нина *(Тригорину)*. Не правда ли, странная пьеса?

Тригорин. Я ничего не понял. Впрочем, смотрел я с удовольствием. Вы так искренно играли. И декорация была прекрасная.

Пауза.

Должно быть, в этом озере много рыбы.

Нина. Да.

Тригорин. Я люблю удить рыбу. Для меня нет больше наслаждения, как сидеть под вечер на берегу и смотреть на поплавок.

Нина. Но, я думаю, кто испытал наслаждение творчества, для того уже все другие наслаждения не существуют.

Аркадина *(смеясь)*. Не говорите так. Когда ему говорят хорошие слова, то он проваливается.

Шамраев. Помню, в Москве в оперном театре однажды знаменитый Сильва взял нижнее до. А в это время, как нарочно, сидел на галерее бас из наших синодальных певчих, и вдруг, можете себе представить наше крайнее изумление, мы слышим с галереи: «Браво, Сильва!» — целою октавой ниже... Вот этак *(низким баском)*: браво, Сильва... Театр так и замер.

Пауза.

Дорн. Тихий ангел пролетел.

Нина. А мне пора. Прощайте.

Аркадина. Куда? Куда так рано? Мы вас не пустим.

Нина. Меня ждет папа.

Аркадина. Какой он, право.

Целуются.

Ну, что делать. Жаль, жаль вас отпускать.

Нина. Если бы вы знали, как мне тяжело уезжать!

Аркадина. Вас бы проводил кто-нибудь, моя крошка.

Нина *(испуганно)*. О нет, нет!

Сорин *(ей, умоляюще)*. Останьтесь!

Нина. Не могу, Петр Николаевич.

Сорин. Останьтесь на один час и все. Ну что, право...

Нина *(подумав, сквозь слезы)*. Нельзя! *(Пожимает руку и быстро уходит.)*

Аркадина. Несчастная девушка, в сущности. Говорят, ее покойная мать завещала мужу все свое громадное состояние, все до копейки, и теперь эта девочка осталась ни с чем, так как отец ее уже завещал все своей второй жене. Это возмутительно.

Дорн. Да, ее папенька порядочная-таки скотина, надо отдать ему полную справедливость.

Сорин *(потирая озябшие руки)*. Пойдемте-ка, господа, и мы, а то становится сыро. У меня ноги болят.

Аркадина. Они у тебя, как деревянные, едва ходят. Ну, пойдем, старик злосчастный. *(Берет его под руку.)*

Шамраев *(подавая руку жене)*. Мадам?

Сорин. Я слышу, опять воет собака. *(Шамраеву.)* Будьте добры, Илья Афанасьевич, прикажите отвязать ее.

Шамраев. Нельзя, Петр Николаевич, боюсь, как бы воры в амбар не забрались. Там у меня просо. *(Идущему рядом Медведенку.)* Да, на целую октаву ниже: «Браво, Сильва!» А ведь не певец, простой синодальный певчий.

Медведенко. А сколько жалованья получает синодальный певчий?

Все уходят, кроме Дорна.

Дорн *(один)*. Не знаю, быть может, я ничего не понимаю или сошел с ума, но пьеса мне понравилась. В ней что-то есть. Когда эта девочка говорила об одиночестве и потом, когда показались красные глаза дьявола, у меня от волнения дрожали руки. Свежо, наивно... Вот, кажется, он идет. Мне хочется наговорить ему побольше приятного.

Треплев *(входит)*. Уже нет никого.

Дорн. Я здесь.

Треплев. Меня по всему парку ищет Машенька. Несносное создание.

Дорн. Константин Гаврилович, мне ваша пьеса чрезвычайно понравилась. Странная она какая-то, и конца я не слышал, и все-таки впечатление сильное. Вы талантливый человек, вам надо продолжать.

Треплев крепко жмет ему руку и обнимает порывисто.

Фуй, какой нервный. Слезы на глазах... Я что хочу сказать? Вы взяли сюжет из области отвлеченных идей. Так и следовало, потому что художественное произведение непременно должно выражать какую-нибудь большую мысль. Только то прекрасно, что серьезно. Как вы бледны!

Треплев. Так вы говорите — продолжать?

Дорн. Да... Но изображайте только важное и вечное. Вы знаете, я прожил свою жизнь разнообразно и со вкусом, я доволен, но если бы мне пришлось испытать подъем духа, какой бывает у художников во время творчества, то, мне кажется, я презирал бы свою материальную оболочку и все, что этой оболочке свойственно, и уносился бы от земли подальше в высоту.

Треплев. Виноват, где Заречная?

Дорн. И вот еще что. В произведении должна быть ясная, определенная мысль. Вы должны знать, для чего пишете, иначе если пойдете по этой живописной дороге без определенной цели, то вы заблудитесь и ваш талант погубит вас.

Треплев (*нетерпеливо*). Где Заречная?

Дорн. Она уехала домой.

Треплев (*в отчаянии*). Что же мне делать? Я хочу ее видеть... Мне необходимо ее видеть... Я поеду...

Маша входит.

Дорн (*Треплеву*). Успокойтесь, мой друг.

Треплев. Но все-таки я поеду. Я должен поехать.

Маша. Идите, Константин Гаврилович, в дом. Вас ждет ваша мама. Она непокойна.

Треплев. Скажите ей, что я уехал. И прошу вас всех, оставьте меня в покое! Оставьте! Не ходите за мной!

Дорн. Но, но, но, милый... нельзя так... Нехорошо.

Треплев *(сквозь слезы)*. Прощайте, доктор. Благодарю... *(Уходит.)*

Дорн *(вздохнув)*. Молодость, молодость!

Маша. Когда нечего больше сказать, то говорят: молодость, молодость... *(Нюхает табак.)*

Дорн *(берет у нее табакерку и швыряет в кусты)*. Это гадко!

Пауза.

В доме, кажется, играют. Надо идти.

Маша. Погодите.

Дорн. Что?

Маша. Я еще раз хочу вам сказать. Мне хочется поговорить... *(Волнуясь.)* Я не люблю своего отца... но к вам лежит мое сердце. Почему-то я всею душой чувствую, что вы мне близки... Помогите же мне. Помогите, а то я сделаю глупость, я насмеюсь над своею жизнью, испорчу ее... Не могу дольше...

Дорн. Что? В чем помочь?

Маша. Я страдаю. Никто, никто не знает моих страданий! *(Кладет ему голову на грудь, тихо.)* Я люблю Константина.

Дорн. Как все нервны! Как все нервны! И сколько любви... О, колдовское озеро! *(Нежно.)* Ну что же я могу сделать, дитя мое? Что? Что?

Занавес

ДЕЙСТВИЕ ВТОРОЕ

Площадка для крокета. В глубине направо дом с большою террасой, налево видно озеро, в котором, отражаясь, сверкает солнце. Цветники. Полдень. Жарко. Сбоку площадки, в тени старой липы, сидят на скамье Аркадина, Дорн и Маша. У Дорна на коленях раскрытая книга.

Аркадина *(Маше)*. Вот встанемте.

Обе встают.

Станем рядом. Вам двадцать два года, а мне почти вдвое. Евгений Сергеич, кто из нас моложавее?

Дорн. Вы, конечно.

Аркадина. Вот-с... А почему? Потому что я работаю, я чувствую, я постоянно в суете, а вы сидите всё на одном месте, не живете... И у меня правило: не заглядывать в будущее. Я никогда не думаю ни о старости, ни о смерти. Чему быть, того не миновать.

Маша. А у меня такое чувство, как будто я родилась уже давно-давно; жизнь свою я тащу волоком, как бесконечный шлейф... И часто не бывает никакой охоты жить. *(Садится.)* Конечно, это все пустяки. Надо встряхнуться, сбросить с себя все это.

Дорн *(напевает тихо)*. «Расскажите вы ей, цветы мои...»

Аркадина. Затем я корректна, как англичанин. Я, милая, держу себя в струне, как говорится, и всегда одета и причесана comme il faut[1]. Чтобы я позволила себе выйти из дому, хотя бы вот в сад, в блузе или непричесанной? Никогда. Оттого я и сохранилась, что никогда не была фефелой, не

---

[1] Как надлежит *(фр.)*.

распускала себя, как некоторые... *(Подбоченясь, прохаживается по площадке.)* Вот вам, — как цыпочка. Хоть пятнадцатилетнюю девочку играть.

Дорн. Ну-с, тем не менее все-таки я продолжаю. *(Берет книгу.)* Мы остановились на лабазнике и крысах...

Аркадина. И крысах. Читайте. *(Садится.)* Впрочем, дайте мне, я буду читать. Моя очередь. *(Берет книгу и ищет в ней глазами.)* И крысах... Вот оно... *(Читает.)* «И, разумеется, для светских людей баловать романистов и привлекать их к себе так же опасно, как лабазнику воспитывать крыс в своих амбарах. А между тем их любят. Итак, когда женщина избрала писателя, которого она желает заполонить, она осаждает его посредством комплиментов, любезностей и угождений...» Ну, это у французов, может быть, но у нас ничего подобного, никаких программ. У нас женщина обыкновенно, прежде чем заполонить писателя, сама уже влюблена по уши, сделайте милость. Недалеко ходить, взять хоть меня и Тригорина...

Идет Сорин, опираясь на трость, и рядом с ним Нина; Медведенко катит за ними пустое кресло.

Сорин *(тоном, каким ласкают детей)*. Да? У нас радость? Мы сегодня веселы в конце концов? *(Сестре.)* У нас радость! Отец и мачеха уехали в Тверь, и мы теперь свободны на целых три дня.

Нина *(садится рядом с Аркадиной и обнимает ее)*. Я счастлива! Я теперь принадлежу вам.

Сорин *(садится в свое кресло)*. Она сегодня красивенькая.

Аркадина. Нарядная, интересная... За это вы умница. *(Целует Нину.)* Но не нужно очень хвалить, а то сглазим. Где Борис Алексеевич?

Нина. Он в купальне рыбу удит.

Аркадина. Как ему не надоест! *(Хочет продолжать читать.)*

Нина. Это вы что?

Аркадина. Мопассан, «На воде», милочка. *(Читает несколько строк про себя.)* Ну, дальше неинтересно и неверно. *(Закрывает книгу.)* Непокойна у меня душа. Скажите, что с моим сыном? Отчего он так скучен и суров? Он целые дни проводит на озере, и я его почти совсем не вижу.

Маша. У него нехорошо на душе. *(Нине, робко.)* Прошу вас, прочтите из его пьесы!

Нина *(пожав плечами)*. Вы хотите? Это так неинтересно!

Маша *(сдерживая восторг)*. Когда он сам читает что-нибудь, то глаза у него горят и лицо становится бледным. У него прекрасный, печальный голос, а манеры как у поэта.

Слышно, как храпит Сорин.

Дорн. Спокойной ночи!

Аркадина. Петруша!

Сорин. А?

Аркадина. Ты спишь?

Сорин. Нисколько.

Пауза.

Аркадина. Ты не лечишься, а это нехорошо, брат.

Сорин. Я рад бы лечиться, да вот доктор не хочет.

Дорн. Лечиться в шестьдесят лет!

Сорин. И в шестьдесят лет жить хочется.

Дорн *(досадливо)*. Э! Ну, принимайте валериановые капли.

А р к а д и н а. Мне кажется, ему хорошо бы поехать куда-нибудь на воды.

Д о р н. Что ж? Можно поехать. Можно и не поехать.

А р к а д и н а. Вот и пойми.

Д о р н. И понимать нечего. Все ясно.

Пауза.

М е д в е д е н к о. Петру Николаевичу следовало бы бросить курить.

С о р и н. Пустяки.

Д о р н. Нет, не пустяки. Вино и табак обезличивают. После сигары или рюмки водки вы уже не Петр Николаевич, а Петр Николаевич плюс еще кто-то; у вас расплывается ваше я, и вы уже относитесь к самому себе, как к третьему лицу — он.

С о р и н *(смеется)*. Вам хорошо рассуждать. Вы пожили на своем веку, а я? Я прослужил по судебному ведомству двадцать восемь лет, но еще не жил, ничего не испытал в конце концов, и, понятная вещь, жить мне очень хочется. Вы сыты и равнодушны, и потому имеете наклонность к философии, я же хочу жить и потому пью за обедом херес и курю сигары, и все. Вот и все.

Д о р н. Надо относиться к жизни серьезно, а лечиться в шестьдесят лет, жалеть, что в молодости мало наслаждался, это, извините, легкомыслие.

М а ш а *(встает)*. Завтракать пора, должно быть. *(Идет ленивою, вялою походкой.)* Ногу отсидела... *(Уходит.)*

Д о р н. Пойдет и перед завтраком две рюмочки пропустит.

С о р и н. Личного счастья нет у бедняжки.

Д о р н. Пустое, ваше превосходительство.

С о р и н. Вы рассуждаете, как сытый человек.

А р к а д и н а. Ах, что может быть скучнее этой вот милой деревенской скуки! Жарко, тихо, никто ничего не делает, все философствуют... Хорошо с вами, друзья, приятно вас слушать, но... сидеть у себя в номере и учить роль — куда лучше!

Н и н а *(восторженно)*. Хорошо! Я понимаю вас.

С о р и н. Конечно, в городе лучше. Сидишь в своем кабинете, лакей никого не впускает без доклада, телефон... на улице извозчики и все...

Д о р н *(напевает)*. «Расскажите вы ей, цветы мои...»

Входит Ш а м р а е в, за ним П о л и н а А н д р е е в н а.

Ш а м р а е в. Вот и наши. Добрый день! *(Целует руку у Аркадиной, потом у Нины.)* Весьма рад видеть вас в добром здоровье *(Аркадиной.)* Жена говорит, что вы собираетесь сегодня ехать с нею вместе в город. Это правда?

А р к а д и н а. Да, мы собираемся.

Ш а м р а е в. Гм... Это великолепно, но на чем же вы поедете, многоуважаемая? Сегодня у нас возят рожь, все работники заняты. А на каких лошадях, позвольте вас спросить?

А р к а д и н а. На каких? Почем я знаю — на каких!

С о р и н. У нас же выездные есть.

Ш а м р а е в *(волнуясь)*. Выездные? А где я возьму хомуты? Где я возьму хомуты? Это удивительно! Это непостижимо! Высокоуважаемая! Извините, я благоговею перед вашим талантом, готов отдать за вас десять лет жизни, но лошадей я вам не могу дать!

А р к а д и н а. Но если я должна ехать? Странное дело!

Шамраев. Многоуважаемая! Вы не знаете, что значит хозяйство!

Аркадина *(вспылив)*. Это старая история! В таком случае я сегодня же уезжаю в Москву. Прикажите нанять для меня лошадей в деревне, а то я уйду на станцию пешком!

Шамраев *(вспылив)*. В таком случае я отказываюсь от места! Ищите себе другого управляющего! *(Уходит.)*

Аркадина. Каждое лето так, каждое лето меня здесь оскорбляют! Нога моя здесь больше не будет! *(Уходит влево, где предполагается купальня; через минуту видно, как она проходит в дом; за нею идет Тригорин с удочками и с ведром.)*

Сорин *(вспылив)*. Это нахальство! Это черт знает что такое! Мне это надоело в конце концов. Сейчас же подать сюда всех лошадей!

Нина *(Полине Андреевне)*. Отказать Ирине Николаевне, знаменитой артистке! Разве всякое желание ее, даже каприз, не важнее вашего хозяйства? Просто невероятно!

Полина Андреевна *(в отчаянии)*. Что я могу? Войдите в мое положение: что я могу?

Сорин *(Нине)*. Пойдемте к сестре... Мы все будем умолять ее, чтобы она не уезжала. Не правда ли? *(Глядя по направлению, куда ушел Шамраев.)* Невыносимый человек! Деспот!

Нина *(мешая ему встать)*. Сидите, сидите... Мы вас довезем...

Она и Медведенко катят кресло.

О, как это ужасно!..

Сорин. Да, да, это ужасно... Но он не уйдет, я сейчас поговорю с ним.

Уходят; остаются только Дорн и Полина Андреевна.

Дорн. Люди скучны. В сущности, следовало бы вашего мужа отсюда просто в шею, а ведь все кончится тем, что эта старая баба Петр Николаевич и его сестра попросят у него извинения. Вот увидите!

Полина Андреевна. Он и выездных лошадей послал в поле. И каждый день такие недоразумения. Если бы вы знали, как это волнует меня! Я заболеваю; видите, я дрожу... Я не выношу его грубости. *(Умоляюще.)* Евгений, дорогой, ненаглядный, возьмите меня к себе... Время наше уходит, мы уже не молоды, и хоть бы в конце жизни нам не прятаться, не лгать...

Пауза.

Дорн. Мне пятьдесят пять лет, уже поздно менять свою жизнь.

Полина Андреевна. Я знаю, вы отказываете мне, потому что, кроме меня, есть женщины, которые вам близки. Взять всех к себе невозможно. Я понимаю. Простите, я надоела вам.

Нина показывается около дома; она рвет цветы.

Дорн. Нет, ничего.

Полина Андреевна. Я страдаю от ревности. Конечно, вы доктор, вам нельзя избегать женщин. Я понимаю...

Дорн *(Нине, которая подходит)*. Как там?

Нина. Ирина Николаевна плачет, а у Петра Николаевича астма.

Дорн *(встает)*. Пойти дать обоим валериановых капель...

Нина *(подает ему цветы)*. Извольте!

Дорн. Merci bien[1]. *(Идет к дому.)*

---

[1] Весьма благодарен *(фр.)*.

П о л и н а А н д р е е в н а *(идя с ним)*. Какие миленькие цветы! *(Около дома, глухим голосом.)* Дайте мне эти цветы! Дайте мне эти цветы! *(Получив цветы, рвет их и бросает в сторону.)*

О б а идут в дом.

Н и н а *(одна)*. Как странно видеть, что известная артистка плачет, да еще по такому пустому поводу! И не странно ли, знаменитый писатель, любимец публики, о нем пишут во всех газетах, портреты его продаются, его переводят на иностранные языки, а он целый день ловит рыбу и радуется, что поймал двух голавлей. Я думала, что известные люди горды, неприступны, что они презирают толпу и своею славой, блеском своего имени как бы мстят ей за то, что она выше всего ставит знатность происхождения и богатство. Но они вот плачут, удят рыбу, играют в карты, смеются и сердятся, как все...

Т р е п л е в *(входит без шляпы, с ружьем и с убитою чайкой)*. Вы одни здесь?

Н и н а. Одна.

Треплев кладет у ее ног чайку.

Что это значит?

Т р е п л е в. Я имел подлость убить сегодня эту чайку. Кладу у ваших ног.

Н и н а. Что с вами? *(Поднимает чайку и глядит на нее.)*

Т р е п л е в *(после паузы)*. Скоро таким же образом я убью самого себя.

Н и н а. Я вас не узнаю.

Т р е п л е в. Да, после того, как я перестал узнавать вас. Вы изменились ко мне, ваш взгляд холоден, мое присутствие стесняет вас.

Нина. В последнее время вы стали раздражительны, выражаетесь все непонятно, какими-то символами. И вот эта чайка тоже, по-видимому, символ, но, простите, я не понимаю... *(Кладет чайку на скамью.)* Я слишком проста, чтобы понимать вас.

Треплев. Это началось с того вечера, когда так глупо провалилась моя пьеса. Женщины не прощают неуспеха. Я все сжег, все до последнего клочка. Если бы вы знали, как я несчастлив! Ваше охлаждение страшно, невероятно, точно я проснулся и вижу вот, будто это озеро вдруг высохло или утекло в землю. Вы только что сказали, что вы слишком просты, чтобы понимать меня. О, что тут понимать?! Пьеса не понравилась, вы презираете мое вдохновение, уже считаете меня заурядным, ничтожным, каких много... *(Топнув ногой.)* Как это я хорошо понимаю, как понимаю! У меня в мозгу точно гвоздь, будь он проклят вместе с моим самолюбием, которое сосет мою кровь, сосет, как змея... *(Увидев Тригорина, который идет, читая книжку.)* Вот идет истинный талант; ступает, как Гамлет, и тоже с книжкой. *(Дразнит.)* «Слова, слова, слова...» Это солнце еще не подошло к вам, а вы уже улыбаетесь, взгляд ваш растаял в его лучах. Не стану мешать вам. *(Уходит быстро.)*

Тригорин *(записывая в книжку)*. Нюхает табак и пьет водку... Всегда в черном. Ее любит учитель...

Нина. Здравствуйте, Борис Алексеевич!

Тригорин. Здравствуйте. Обстоятельства неожиданно сложились так, что, кажется, мы сегодня уезжаем. Мы с вами едва ли еще увидимся когда-нибудь. А жаль. Мне приходится не часто встречать молодых девушек, молодых и интересных, я уже забыл и не могу себе ясно представить, как чувствуют себя в восемнадцать–девятнадцать лет, и потому у меня в повестях и рассказах молодые девушки обыкновенно фальшивы. Я бы вот хотел хоть один час побыть на вашем месте, чтобы узнать, как вы думаете, и вообще что вы за штучка.

Нина. А я хотела бы побывать на вашем месте.

Тригорин. Зачем?

Нина. Чтобы узнать, как чувствует себя известный талантливый писатель. Как чувствуется известность? Как вы ощущаете то, что вы известны?

Тригорин. Как? Должно быть, никак. Об этом я никогда не думал. *(Подумав.)* Что-нибудь из двух: или вы преувеличиваете мою известность, или же вообще она никак не ощущается.

Нина. А если читаете про себя в газетах?

Тригорин. Когда хвалят, приятно, а когда бранят, то потом два дня чувствуешь себя не в духе.

Нина. Чудный мир! Как я завидую вам, если бы вы знали! Жребий людей различен. Одни едва влачат свое скучное, незаметное существование, все похожие друг на друга, все несчастные; другим же, как, например, вам, – вы один из миллиона, – выпала на долю жизнь интересная, светлая, полная значения... Вы счастливы...

Тригорин. Я? *(Пожимая плечами.)* Гм... Вы вот говорите об известности, о счастье, о какой-то светлой, интересной жизни, а для меня все эти хорошие слова, простите, все равно что мармелад, которого я никогда не ем. Вы очень молоды и очень добры.

Н и н а. Ваша жизнь прекрасна!

Т р и г о р и н. Что же в ней особенно хорошего? *(Смотрит на часы.)* Я должен сейчас идти и писать. Извините, мне некогда... *(Смеется.)* Вы, как говорится, наступили на мою самую любимую мозоль, и вот я начинаю волноваться и немного сердиться. Впрочем, давайте говорить. Будем говорить о моей прекрасной, светлой жизни... Ну-с, с чего начнем? *(Подумав немного.)* Бывают насильственные представления, когда человек день и ночь думает, например, все о луне, и у меня есть своя такая луна. День и ночь одолевает меня одна неотвязчивая мысль: я должен писать, я должен писать, я должен... Едва кончил повесть, как уже почему-то должен писать другую, потом третью, после третьей четвертую... Пишу непрерывно, как на перекладных, и иначе не могу. Что же тут прекрасного и светлого, я вас спрашиваю? О, что за дикая жизнь! Вот я с вами, я волнуюсь, а между тем каждое мгновение помню, что меня ждет неоконченная повесть. Вижу вот облако, похожее на рояль. Думаю: надо будет упомянуть где-нибудь в рассказе, что плыло облако, похожее на рояль. Пахнет гелиотропом. Скорее мотаю на ус: приторный запах, вдовий цвет, упомянуть при описании летнего вечера. Ловлю себя и вас на каждой фразе, на каждом слове и спешу скорее запереть все эти фразы и слова в свою литературную кладовую: авось пригодится! Когда кончаю работу, бегу в театр или удить рыбу; тут бы и отдохнуть, забыться, ан — нет, в голове уже ворочается тяжелое чугунное ядро — новый сюжет, и уже тянет к столу, и надо спешить опять писать и писать. И так всегда, всегда, и нет мне покоя от самого себя, и я чувствую, что съедаю собственную жизнь, что для меда, который я отдаю кому-то в пространство, я обираю пыль с лучших своих цветов, рву самые цветы и топчу их корни. Разве я не сумасшедший? Разве мои близкие и знакомые держат себя со мною как со здоровым? «Что пописываете? Чем нас подарите?» Одно и то же, одно и то же, и мне кажется, что это внимание знакомых, похвалы, восхищение — все это обман, меня обманывают, как больного, и я иногда боюсь, что вот-вот подкрадутся ко мне сзади, схватят и повезут, как Поприщина, в сумасшедший дом. А в те годы, в молодые, лучшие годы, когда я начинал, мое писательство было одним сплошным мучением. Маленький писатель, особенно когда ему не везет, кажется себе неуклюжим, неловким, лишним, нервы у него напряжены, издерганы; неудержимо бродит он около людей, причастных к литературе и к искусству, непризнанный, никем не замечаемый, боясь прямо и смело глядеть в глаза, точно страстный игрок, у которого нет денег. Я не видел своего читателя, но почему-то в моем воображении он представлялся мне недружелюбным, недоверчивым. Я боялся публики, она была страшна мне, и когда мне приходилось ставить свою новую пьесу, то мне казалось всякий раз, что брюнеты враждебно настроены, а блондины холодно равнодушны. О, как это ужасно! Какое это было мучение!

Нина. Позвольте, но разве вдохновение и самый процесс творчества не дают вам высоких, счастливых минут?

Тригорин. Да. Когда пишу, приятно. И корректуру читать приятно, но... едва вышло из печати, как я не выношу и вижу уже, что оно не то, ошибка, что его не следовало бы писать вовсе, и мне досадно, на душе дрянно... *(Смеясь.)* А публика читает: «Да, мило, талантливо... Мило, но далеко до Толстого», или: «Прекрасная вещь, но „Отцы и дети“ Тургенева лучше». И так до гробовой доски все будет только мило и талантливо, мило и талантливо — больше ничего, а как умру, знакомые, проходя мимо могилы, будут говорить: «Здесь лежит Тригорин. Хороший был писатель, но он писал хуже Тургенева».

Нина. Простите, я отказываюсь понимать вас. Вы просто избалованы успехом.

Тригорин. Каким успехом? Я никогда не нравился себе. Я не люблю себя как писателя. Хуже всего, что я в каком-то чаду и часто не понимаю, что́ я пишу... Я люблю вот эту воду, деревья, небо, я чувствую природу, она возбуждает во мне страсть, непреодолимое желание писать. Но ведь я не пейзажист только, я ведь еще гражданин, я люблю родину, народ, я чувствую, что если я писатель, то я обязан говорить о народе, об его страданиях, об его будущем, говорить о науке, о правах человека и прочее и прочее, и я говорю обо всем, тороплюсь, меня со всех сторон подгоняют, сердятся, я мечусь из стороны в сторону, как лисица, затравленная псами, вижу, что жизнь и наука все уходят вперед и вперед, а я все отстаю и отстаю, как мужик, опоздавший на поезд, и в конце концов чувствую, что я умею писать только пейзаж, а во всем остальном я фальшив, и фальшив до мозга костей.

Нина. Вы заработались, и у вас нет времени и охоты сознать свое значение. Пусть вы недовольны собою, но для других вы велики и прекрасны! Если бы я была таким писателем, как вы, то я отдала бы толпе всю свою жизнь, но сознавала бы, что счастье ее только в том, чтобы возвышаться до меня, и она возила бы меня на колеснице.

Тригорин. Ну, на колеснице... Агамемнон я, что ли?

Оба улыбнулись.

Нина. За такое счастье, как быть писательницей или артисткой, я перенесла бы нелюбовь близких, нужду, разочарование, я жила бы под крышей и ела бы только ржаной хлеб, страдала бы от недовольства собою, от сознания своих несовершенств, но зато бы уж я потребовала славы... настоящей, шумной славы... *(Закрывает лицо руками.)* Голова кружится... Уф!..

Голос Аркадиной из дому: «Борис Алексеевич!»

Тригорин. Меня зовут... Должно быть, укладываться. А не хочется уезжать. *(Оглядывается на озеро.)* Ишь ведь какая благодать!.. Хорошо!

Нина. Видите на том берегу дом и сад?

Тригорин. Да.

Нина. Это усадьба моей покойной матери. Я там родилась. Я всю жизнь провела около этого озера и знаю на нем каждый островок.

Тригорин. Хорошо у вас тут! *(Увидев чайку.)* А это что?

Нина. Чайка. Константин Гаврилыч убил.

Тригорин. Красивая птица. Право, не хочется уезжать. Вот уговорите-ка Ирину Николаевну, чтобы она осталась. *(Записывает в книжку.)*

Нина. Что это вы пишете?

Тригорин. Так, записываю... Сюжет мелькнул... *(Пряча книжку.)* Сюжет для небольшого рассказа: на берегу озера с детства живет молодая девушка, такая, как вы; любит озеро, как чайка, и счастлива, и свободна, как чайка. Но случайно пришел человек, увидел и от нечего делать погубил ее, как вот эту чайку.

Пауза.

В окне показывается Аркадина.

Аркадина. Борис Алексеевич, где вы?

Тригорин. Сейчас! *(Идет и оглядывается на Нину; у окна, Аркадиной.)* Что?

Аркадина. Мы остаемся.

Тригорин уходит в дом.

Нина *(подходит к рампе; после некоторого раздумья).* Сон!

Занавес

ДЕЙСТВИЕ ТРЕТЬЕ

Столовая в доме Сорина. Направо и налево двери. Буфет. Шкаф с лекарствами. Посреди комнаты стол. Чемодан и картонки; заметны приготовления к отъезду. Тригорин завтракает. Маша стоит у стола.

Маша. Все это я рассказываю вам как писателю. Можете воспользоваться. Я вам по совести: если бы он ранил себя серьезно, то я не стала бы жить ни одной минуты. А все же я храбрая. Вот взяла и решила: вырву эту любовь из своего сердца, с корнем вырву.

Тригорин. Каким же образом?

Маша. Замуж выхожу. За Медведенка.

Тригорин. Это за учителя?

Маша. Да.

Тригорин. Не понимаю, какая надобность.

Маша. Любить безнадежно, целые годы все ждать чего-то... А как выйду замуж, будет уже не до любви, новые заботы заглушат все старое. И все-таки, знаете ли, перемена. Не повторить ли нам?

Тригорин. А не много ли будет?

Маша. Ну вот! *(Наливает по рюмке.)* Вы не смотрите на меня так. Женщины пьют чаще, чем вы думаете. Меньшинство пьет открыто, как я, а большинство тайно. Да. И всё водку или коньяк. *(Чокается.)* Желаю вам! Вы человек простой, жалко с вами расставаться.

Пьют.

Тригорин. Мне самому не хочется уезжать.

Маша. А вы попросите, чтобы она осталась.

Тригорин. Нет, теперь не останется. Сын ведет себя крайне бестактно. То стрелялся, а теперь, говорят, собирается меня на дуэль вызвать. А чего ради? Дуется, фыркает, проповедует новые формы... Но ведь всем хватит места, и новым и старым, — зачем толкаться?

Маша. Ну, и ревность. Впрочем, это не мое дело.

Пауза. Яков проходит слева направо с чемоданом; входит Нина и останавливается у окна.

Мой учитель не очень-то умен, но добрый человек и бедняк, и меня сильно любит. Его жалко. И его мать-старушку жалко. Ну-с, позвольте пожелать вам всего хорошего. Не поминайте лихом. *(Крепко пожимает руку.)* Очень вам благодарна за ваше доброе расположение. Пришлите же мне ваши книжки, непременно с автографом. Только не пишите «многоуважаемой», а просто так: «Марье, родства не помнящей, неизвестно для чего живущей на этом свете». Прощайте! *(Уходит.)*

Нина *(протягивая в сторону Тригорина руку, сжатую в кулак).* Чет или нечет?

Тригорин. Чет.

Нина *(вздохнув).* Нет. У меня в руке только одна горошина. Я загадала: идти мне в актрисы или нет? Хоть бы посоветовал кто.

Тригорин. Тут советовать нельзя.

Пауза.

Нина. Мы расстаемся и... пожалуй, более уже не увидимся. Я прошу вас принять от меня на память вот этот маленький медальон. Я приказала вырезать ваши инициалы... а с этой стороны название вашей книжки: «Дни и ночи».

Тригорин. Как грациозно! *(Целует медальон.)* Прелестный подарок!

Нина. Иногда вспоминайте обо мне.

Тригорин. Я буду вспоминать. Я буду вспоминать вас, какою вы были в тот ясный день — помните? — неделю назад, когда вы были в светлом платье... Мы разговаривали... еще тогда на скамье лежала белая чайка.

Нина *(задумчиво).* Да, чайка...

Пауза.

Больше нам говорить нельзя, сюда идут... Перед отъездом дайте мне две минуты, умоляю вас... *(Уходит влево.)*

Одновременно входят справа Аркадина, Сорин во фраке со звездой, потом Яков, озабоченный укладкой.

А р к а д и н а. Оставайся-ка, старик, дома. Тебе ли с твоим ревматизмом разъезжать по гостям? *(Тригорину.)* Это кто сейчас вышел? Нина?

Т р и г о р и н. Да.

А р к а д и н а. Pardon, мы помешали... *(Садится.)* Кажется, все уложила. Замучилась.

Т р и г о р и н *(читает на медальоне)*. «Дни и ночи», страница 121, строки 11 и 12.

Я к о в *(убирая со стола)*. Удочки тоже прикажете уложить?

Т р и г о р и н. Да, они мне еще понадобятся. А книги отдай кому-нибудь.

Я к о в. Слушаю.

Т р и г о р и н *(про себя)*. Страница 121, строки 11 и 12. Что же в этих строках? *(Аркадиной.)* Тут в доме есть мои книжки?

А р к а д и н а. У брата в кабинете, в угловом шкафу.

Т р и г о р и н. Страница 121... *(Уходит.)*

А р к а д и н а. Право, Петруша, остался бы дома...

С о р и н. Вы уезжаете, без вас мне будет тяжело дома.

А р к а д и н а. А в городе что же?

С о р и н. Особенного ничего, но все же. *(Смеется.)* Будет закладка земского дома и все такое... Хочется хоть на час-другой воспрянуть от этой пескариной жизни, а то очень уж я залежался, точно старый мундштук. Я приказал подавать лошадей к часу, в одно время и выедем.

А р к а д и н а *(после паузы)*. Ну, живи тут, не скучай, не простуживайся. Наблюдай за сыном. Береги его. Наставляй.

Пауза.

Вот уеду, так и не буду знать, отчего стрелялся Константин. Мне кажется, главной причиной была ревность, и чем скорее я увезу отсюда Тригорина, тем лучше.

Сорин. Как тебе сказать? Были и другие причины. Понятная вещь, человек молодой, умный, живет в деревне, в глуши, без денег, без положения, без будущего. Никаких занятий. Стыдится и боится своей праздности. Я его чрезвычайно люблю, и он ко мне привязан, но все же в конце концов ему кажется, что он лишний в доме, что он тут нахлебник, приживал. Понятная вещь, самолюбие...

Аркадина. Горе мне с ним! *(В раздумье.)* Поступить бы ему на службу, что ли...

Сорин *(насвистывает, потом нерешительно)*. Мне кажется, было бы самое лучшее, если бы ты... дала ему немного денег. Прежде всего ему нужно одеться по-человечески, и все. Посмотри, один и тот же сюртучишко он таскает три года, ходит без пальто... *(Смеется.)* Да и погулять малому не мешало бы... Поехать за границу, что ли... Это ведь не дорого стоит.

Аркадина. Все-таки... Пожалуй, на костюм я еще могу, но чтобы за границу... Нет, в настоящее время и на костюм не могу. *(Решительно.)* Нет у меня денег!

Сорин смеется.

Нет!

Сорин *(насвистывает)*. Так-с. Прости, милая, не сердись. Я тебе верю... Ты великодушная, благородная женщина.

Аркадина *(сквозь слезы)*. Нет у меня денег!

Сорин. Будь у меня деньги, понятная вещь, я бы сам дал ему, но у меня ничего нет, ни пятачка. *(Смеется.)* Всю мою пенсию у меня забирает управляющий и тратит на земледелие, скотоводство, пчеловодство, и деньги мои пропадают даром. Пчелы дохнут, коровы дохнут, лошадей мне никогда не дают...

Аркадина. Да, у меня есть деньги, но ведь я артистка; одни туалеты разорили совсем.

Сорин. Ты добрая, милая... Я тебя уважаю... Да... Но опять со мною что-то того... *(Пошатывается.)* Голова кружится. *(Держится за стол.)* Мне дурно, и все.

Аркадина *(испуганно)*. Петруша! *(Стараясь поддержать его.)* Петруша, дорогой мой... *(Кричит.)* Помогите мне! Помогите!..

Входят Треплев с повязкой на голове, Медведенко.

Ему дурно!

Сорин. Ничего, ничего... *(Улыбается и пьет воду.)* Уже прошло... и все...

Треплев *(матери)*. Не пугайся, мама, это не опасно. С дядей теперь это часто бывает. *(Дяде.)* Тебе, дядя, надо полежать.

Сорин. Немножко, да... А все-таки в город я поеду... Полежу и поеду... понятная вещь... *(Идет, опираясь на трость.)*

Медведенко *(ведет его под руку)*. Есть загадка: утром на четырех, в полдень на двух, вечером на трех...

Сорин *(смеется)*. Именно. А ночью на спине. Благодарю вас, я сам могу идти...

Медведенко. Ну вот, церемонии!..

Он и Сорин уходят.

Аркадина. Как он меня напугал!

Треплев. Ему нездорово жить в деревне. Тоскует. Вот если бы ты, мама, вдруг расщедрилась и дала ему взаймы тысячи полторы-две, то он мог бы прожить в городе целый год.

Аркадина. У меня нет денег. Я актриса, а не банкирша.

Пауза.

Треплев. Мама, перемени мне повязку. Ты это хорошо делаешь.

Аркадина *(достает из аптечного шкафа йодоформ и ящик с перевязочным материалом)*. А доктор опоздал.

Треплев. Обещал быть к десяти, а уже полдень.

Аркадина. Садись. *(Снимает у него с головы повязку.)* Ты как в чалме. Вчера один приезжий спрашивал на кухне, какой ты национальности. А у тебя почти совсем зажило. Остались самые пустяки. *(Целует его в голову.)* А ты без меня опять не сделаешь чик-чик?

Треплев. Нет, мама. То была минута безумного отчаяния, когда я не мог владеть собою. Больше это не повторится. *(Целует ей руку.)* У тебя золотые руки. Помню, очень давно, когда ты еще служила на казенной сцене, — я тогда был маленьким, — у нас во дворе была драка, сильно побили жилицу-прачку. Помнишь? Ее подняли без чувств... ты все ходила к ней, носила лекарства, мыла в корыте ее детей. Неужели не помнишь?

Аркадина. Нет. *(Накладывает новую повязку.)*

Треплев. Две балерины жили тогда в том же доме, где мы... Ходили к тебе кофе пить...

Аркадина. Это помню.

Треплев. Богомольные они такие были.

Пауза.

В последнее время, вот в эти дни, я люблю тебя так же нежно и беззаветно, как в детстве. Кроме тебя, теперь у меня никого не осталось. Только зачем, зачем ты поддаешься влиянию этого человека?

Аркадина. Ты не понимаешь его, Константин. Это благороднейшая личность...

Треплев. Однако когда ему доложили, что я собираюсь вызвать его на дуэль, благородство не помешало ему сыграть труса. Уезжает. Позорное бегство!

Аркадина. Какой вздор! Я сама прошу его уехать отсюда.

Треплев. Благороднейшая личность! Вот мы с тобою почти ссоримся из-за него, а он теперь где-нибудь в гостиной или в саду смеется над нами... развивает Нину, старается окончательно убедить ее, что он гений.

Аркадина. Для тебя наслаждение говорить мне неприятности. Я уважаю этого человека и прошу при мне не выражаться о нем дурно.

Треплев. А я не уважаю. Ты хочешь, чтобы я тоже считал его гением, но прости, я лгать не умею, от его произведений мне претит.

Аркадина. Это зависть. Людям не талантливым, но с претензиями ничего больше не остается, как порицать настоящие таланты. Нечего сказать, утешение!

Треплев *(иронически)*. Настоящие таланты! *(Гневно.)* Я талантливее вас всех, коли на то пошло! *(Срывает с головы повязку.)* Вы, рутинеры, захватили первенство в искусстве и считаете законным и настоящим лишь то, что делаете вы сами, а остальное вы гнетете и душите! Не признаю я вас! Не признаю ни тебя, ни его!

Аркадина. Декадент!..

Треплев. Отправляйся в свой милый театр и играй там в жалких, бездарных пьесах!

Аркадина. Никогда я не играла в таких пьесах. Оставь меня! Ты и жалкого водевиля написать не в состоянии. Киевский мещанин! Приживал!

Треплев. Скряга!

Аркадина. Оборвыш!

Треплев садится и тихо плачет.

Ничтожество! *(Пройдясь в волнении.)* Не плачь. Не нужно плакать... *(Плачет.)* Не надо... *(Целует его в лоб, в щеки, в голову.)* Милое мое дитя, прости... Прости свою грешную мать. Прости меня, несчастную.

Треплев *(обнимает ее)*. Если бы ты знала! Я все потерял. Она меня не любит, я уже не могу писать... пропали все надежды...

Аркадина. Не отчаивайся... Все обойдется. Он сейчас уедет, она опять тебя полюбит. *(Утирает ему слезы.)* Будет. Мы уже помирились.

Треплев *(целует ей руки)*. Да, мама.

Аркадина *(нежно)*. Помирись и с ним. Не надо дуэли... Ведь не надо?

Треплев. Хорошо... Только, мама, позволь мне не встречаться с ним. Мне это тяжело... выше сил...

Входит Тригорин.

Вот... Я выйду... *(Быстро убирает в шкаф лекарства.)* А повязку ужо доктор сделает...

Тригорин *(ищет в книжке)*. Страница 121... строки 11 и 12... Вот... *(Читает.)* «Если тебе когда-нибудь понадобится моя жизнь, то приди и возьми ее».

Треплев подбирает с полу повязку и уходит.

Аркадина *(поглядев на часы)*. Скоро лошадей подадут.

Тригорин *(про себя)*. Если тебе когда-нибудь понадобится моя жизнь, то приди и возьми ее.

Аркадина. У тебя, надеюсь, все уже уложено?

Тригорин *(нетерпеливо)*. Да, да... *(В раздумье.)* Отчего в этом призыве чистой души послышалась мне печаль и мое сердце так болезненно сжалось?.. Если тебе когда-нибудь понадобится моя жизнь, то приди и возьми ее. *(Аркадиной.)* Останемся еще на один день!

Аркадина отрицательно качает головой.

Останемся!

Аркадина. Милый, я знаю, что́ удерживает тебя здесь. Но имей над собою власть. Ты немного опьянел, отрезвись...

Тригорин. Будь ты тоже трезва, будь умна, рассудительна, умоляю тебя, взгляни на все это как истинный друг... *(Жмет ей руку.)* Ты способна на жертвы... Будь моим другом, отпусти меня...

Аркадина *(в сильном волнении)*. Ты так увлечен?

Тригорин. Меня манит к ней! Быть может, это именно то, что мне нужно.

Аркадина. Любовь провинциальной девочки? О, как ты мало себя знаешь!

Тригорин. Иногда люди спят на ходу, так вот я говорю с тобой, а сам будто сплю и вижу ее во сне... Мною овладели сладкие, дивные мечты... Отпусти...

Аркадина *(дрожа)*. Нет, нет... Я обыкновенная женщина, со мною нельзя говорить так... Не мучай меня, Борис... Мне страшно...

Тригорин. Если захочешь, ты можешь быть необыкновенною. Любовь юная, прелестная, поэтическая, уносящая в мир грез, — на земле только она одна может дать счастье! Такой любви я не испытал еще... В молодости было некогда, я обивал пороги редакций, боролся с нуждой... Теперь вот она, эта любовь, пришла наконец, манит... Какой же смысл бежать от нее?

Аркадина *(с гневом)*. Ты сошел с ума!

Тригорин. И пускай.

Аркадина. Вы все сговорились сегодня мучить меня! *(Плачет.)*

Тригорин *(берет себя за голову)*. Не понимает! Не хочет понять!

Аркадина. Неужели я уже так стара и безобразна, что со мною можно, не стесняясь, говорить о других женщинах? *(Обнимает его и целует.)* О, ты обезумел! Мой прекрасный, дивный... Ты последняя страница моей жизни! *(Становится на колени.)* Моя радость, моя гордость, мое блаженство... *(Обнимает его колени.)* Если ты покинешь меня хотя на один час, то я не переживу, сойду с ума, мой изумительный, великолепный, мой повелитель...

Тригорин. Сюда могут войти. *(Помогает ей встать.)*

Аркадина. Пусть, я не стыжусь моей любви к тебе. *(Целует ему руки.)* Сокровище мое, отчаянная голова, ты хочешь безумствовать, но я не хочу, не пущу... *(Смеется.)* Ты мой... ты мой... И этот лоб мой, и глаза мои, и эти прекрасные шелковистые волосы тоже мои... Ты весь мой. Ты такой талантливый, умный, лучший из всех теперешних писателей, ты единственная надежда России... У тебя столько искренности, простоты, свежести, здорового юмора... Ты можешь одним штрихом передать главное, что характерно для лица или пейзажа, люди у тебя, как живые. О, тебя нельзя читать без восторга! Ты думаешь, это фимиам? Я льщу? Ну, посмотри мне в глаза... посмотри... Похожа я на лгунью? Вот и видишь, я одна умею ценить тебя; одна говорю тебе правду, мой милый, чудный... Поедешь? Да? Ты меня не покинешь?..

Тригорин. У меня нет своей воли... У меня никогда не было своей воли... Вялый, рыхлый, всегда покорный — неужели это может нравиться женщине? Бери меня, увози, но только не отпускай от себя ни на шаг...

Аркадина *(про себя)*. Теперь он мой. *(Развязно, как ни в чем не бывало.)* Впрочем, если хочешь, можешь остаться. Я уеду сама, а ты приедешь потом, через неделю. В самом деле, куда тебе спешить?

Тригорин. Нет, уж поедем вместе.

Аркадина. Как хочешь. Вместе так вместе...

Пауза.

Тригорин записывает в книжку.

Что ты?

Тригорин. Утром слышал хорошее выражение: «Девичий бор...» Пригодится. *(Потягивается.)* Значит, ехать? Опять вагоны, станции, буфеты, отбивные котлеты, разговоры...

Шамраев *(входит)*. Имею честь с прискорбием заявить, что лошади поданы. Пора уже, многоуважаемая, ехать на станцию; поезд приходит в два и пять минут. Так вы же, Ирина Николаевна, сделайте милость, не забудьте навести справочку: где теперь актер Суздальцев? Жив ли? Здоров ли? Вместе пивали когда-то... В «Ограбленной почте» играл неподражаемо... С ним тогда, помню, в Елисаветграде служил трагик Измайлов, тоже личность замечательная... Не торопитесь, многоуважаемая, пять минут еще можно. Раз в одной мелодраме они играли заговорщиков, и когда их вдруг накрыли, то надо было сказать: «Мы попали в западню», а Измайлов — «Мы попали в запандю»... *(Хохочет.)* Запандю!..

Пока он говорит, Яков хлопочет около чемоданов, горничная приносит Аркадиной шляпу, манто, зонтик, перчатки; все помогают Аркадиной одеться. Из левой двери выглядывает повар, который немного погодя входит нерешительно. Входит Полина Андреевна, потом Сорин и Медведенко.

Полина Андреевна *(с корзиночкой)*. Вот вам слив на дорогу... Очень сладкие. Может, захотите полакомиться...

Аркадина. Вы очень добры, Полина Андреевна.

Полина Андреевна. Прощайте, моя дорогая! Если что было не так, то простите. *(Плачет.)*

Аркадина *(обнимает ее)*. Все было хорошо, все было хорошо. Только вот плакать не нужно.

Полина Андреевна. Время наше уходит!

Аркадина. Что же делать!

С о р и н *(в пальто с пелериной, в шляпе, с палкой, выходит из левой двери; проходя через комнату).* Сестра, пора, как бы не опоздать в конце концов. Я иду садиться. *(Уходит.)*

М е д в е д е н к о. А я пойду пешком на станцию... провожать. Я живо... *(Уходит.)*

А р к а д и н а. До свиданья, мои дорогие... Если будем живы и здоровы, летом опять увидимся...

Горничная, Яков и повар целуют у нее руку.

Не забывайте меня. *(Подает повару рубль.)* Вот вам рубль на троих.

П о в а р. Покорнейше благодарим, барыня. Счастливой вам дороги! Много вами довольны!

Я к о в. Дай Бог час добрый!

Ш а м р а е в. Письмецом бы осчастливили! Прощайте, Борис Алексеевич!

А р к а д и н а. Где Константин? Скажите ему, что я уезжаю. Надо проститься. Ну, не поминайте лихом. *(Якову.)* Я дала рубль повару. Это на троих.

В с е уходят вправо. Сцена пуста. За сценой шум, какой бывает, когда провожают. Г о р н и ч н а я возвращается, чтобы взять со стола корзину со сливами, и опять уходит.

Т р и г о р и н *(возвращаясь).* Я забыл свою трость. Она, кажется, там на террасе. *(Идет и у левой двери встречается с Ниной, которая входит.)* Это вы? Мы уезжаем...

Н и н а. Я чувствовала, что мы еще увидимся. *(Возбужденно.)* Борис Алексеевич, я решила бесповоротно, жребий брошен, я поступаю на сцену. Завтра меня уже не будет здесь, я ухожу от отца, покидаю все, начинаю новую жизнь... Я уезжаю, как и вы... в Москву. Мы увидимся там.

Тригорин *(оглянувшись)*. Остановитесь в «Славянском базаре»... Дайте мне тотчас же знать... Молчановка, дом Грохольского... Я тороплюсь...

Пауза.

Нина. Еще одну минуту...

Тригорин *(вполголоса)*. Вы так прекрасны... О, какое счастье думать, что мы скоро увидимся!

Она склоняется к нему на грудь.

Я опять увижу эти чудные глаза, невыразимо прекрасную, нежную улыбку... эти кроткие черты, выражение ангельской чистоты... Дорогая моя...

Продолжительный поцелуй.

Занавес

Между третьим и четвертым действием проходит два года.

ДЕЙСТВИЕ ЧЕТВЕРТОЕ

Одна из гостиных в доме Сорина, обращенная Константином Треплевым в рабочий кабинет. Направо и налево двери, ведущие во внутренние покои. Прямо стеклянная дверь на террасу. Кроме обычной гостиной мебели, в правом углу письменный стол, возле левой двери турецкий диван, шкаф с книгами, книги на окнах, на стульях. — Вечер. Горит одна лампа под колпаком. Полумрак. Слышно, как шумят деревья и воет ветер в трубах. Стучит сторож.

Медведенко и Маша входят.

Маша *(окликает)*. Константин Гаврилыч! Константин Гаврилыч! *(Осматриваясь.)* Нет никого. Старик каждую минуту все спрашивает, где Костя, где Костя... Жить без него не может...

Медведенко. Боится одиночества. *(Прислушиваясь.)* Какая ужасная погода! Это уже вторые сутки.

Маша *(припускает огня в лампе)*. На озере волны. Громадные.

Медведенко. В саду темно. Надо бы сказать, чтобы сломали в саду тот театр. Стоит голый, безобразный, как скелет, и занавеска от ветра хлопает. Когда я вчера вечером проходил мимо, то мне показалось, будто кто в нем плакал...

Маша. Ну вот...

Пауза.

Медведенко. Поедем, Маша, домой!

Маша *(качает отрицательно головой)*. Я здесь останусь ночевать.

Медведенко *(умоляюще)*. Маша, поедем! Наш ребеночек небось голоден.

Маша. Пустяки. Его Матрена покормит.

Пауза.

Медведенко. Жалко. Уже третью ночь без матери.

Маша. Скучный ты стал. Прежде, бывало, хоть пофилософствуешь, а теперь все ребенок, домой, ребенок, домой, — и больше от тебя ничего не услышишь.

Медведенко. Поедем, Маша!

Маша. Поезжай сам.

Медведенко. Твой отец не даст мне лошади.

Маша. Даст. Ты попроси, он и даст.

Медведенко. Пожалуй, попрошу. Значит, ты завтра приедешь?

М а ш а *(нюхает табак)*. Ну, завтра. Пристал...

Входят Треплев и Полина Андреевна; Треплев принес подушки и одеяло, а Полина Андреевна постельное белье; кладут на турецкий диван, затем Треплев идет к своему столу и садится.

Зачем это, мама?

Полина Андреевна. Петр Николаевич просил постлать ему у Кости.

М а ш а. Давайте я... *(Постилает постель.)*

Полина Андреевна *(вздохнув)*. Старый что малый... *(Подходит к письменному столу и, облокотившись, смотрит в рукопись.)*

Пауза.

Медведенко. Так я пойду. Прощай, Маша. *(Целует у жены руку.)* Прощайте, мамаша. *(Хочет поцеловать руку у тещи.)*

Полина Андреевна *(досадливо)*. Ну! Иди с Богом.

Медведенко. Прощайте, Константин Гаврилыч.

Треплев молча подает руку; Медведенко уходит.

Полина Андреевна *(глядя в рукопись)*. Никто не думал и не гадал, что из вас, Костя, выйдет настоящий писатель. А вот, слава богу, и деньги стали вам присылать из журналов. *(Проводит рукой по его волосам.)* И красивый стал... Милый Костя, хороший, будьте поласковее с моей Машенькой!..

М а ш а *(постилая)*. Оставьте его, мама.

Полина Андреевна *(Треплеву)*. Она славненькая.

Пауза.

Женщине, Костя, ничего не нужно, только взгляни на нее ласково. По себе знаю.

Треплев встает из-за стола и молча уходит.

Маша. Вот и рассердили. Надо было приставать!

Полина Андреевна. Жалко мне тебя, Машенька.

Маша. Очень нужно!

Полина Андреевна. Сердце мое за тебя переболело. Я ведь все вижу, все понимаю.

Маша. Все глупости. Безнадежная любовь — это только в романах. Пустяки. Не нужно только распускать себя и все чего-то ждать, ждать у моря погоды... Раз в сердце завелась любовь, надо ее вон. Вот обещали перевести мужа в другой уезд. Как переедем туда,— все забуду... с корнем из сердца вырву.

Через две комнаты играют меланхолический вальс.

Полина Андреевна. Костя играет. Значит, тоскует.

Маша *(делает бесшумно два-три тура вальса)*. Главное, мама, перед глазами не видеть. Только бы дали моему Семену перевод, а там, поверьте, в один месяц забуду. Пустяки все это.

Открывается левая дверь, Дорн и Медведенко катят в кресле Сорина.

Медведенко. У меня теперь в доме шестеро. А мука семь гривен пуд.

Дорн. Вот тут и вертись.

Медведенко. Вам хорошо смеяться. Денег у вас куры не клюют.

Дорн. Денег? За тридцать лет практики, мой друг, беспокойной практики, когда я не принадлежал себе ни днем ни ночью, мне удалось скопить только две тысячи, да и те я прожил недавно за границей. У меня ничего нет.

Маша *(мужу)*. Ты не уехал?

Медведенко *(виновато)*. Что ж? Когда не дают лошади!

Маша *(с горькою досадой, вполголоса)*. Глаза бы мои тебя не видели!

Кресло останавливается в левой половине комнаты; Полина Андреевна, Маша и Дорн садятся возле; Медведенко, опечаленный, отходит в сторону.

Дорн. Сколько у вас перемен, однако! Из гостиной сделали кабинет.

Маша. Здесь Константину Гаврилычу удобнее работать. Он может когда угодно выходить в сад и там думать.

Стучит сторож.

Сорин. Где сестра?

Дорн. Поехала на станцию встречать Тригорина. Сейчас вернется.

Сорин. Если вы нашли нужным выписать сюда сестру, значит, я опасно болен. *(Помолчав.)* Вот история, я опасно болен, а между тем мне не дают никаких лекарств.

Дорн. А чего вы хотите? Валериановых капель? Соды? Хины?

Сорин. Ну, начинается философия. О, что за наказание! *(Кивнув головой на диван.)* Это для меня постлано?

Полина Андреевна. Для вас, Петр Николаевич.

Сорин. Благодарю вас.

Дорн *(напевает)*. «Месяц плывет по ночным небесам...»

С о р и н. Вот хочу дать Косте сюжет для повести. Она должна называться так: «Человек, который хотел». «L'homme, qui a voulu». В молодости когда-то хотел я сделаться литератором — и не сделался; хотел красиво говорить — и говорил отвратительно *(дразнит себя)*: «и все и все такое, того, не того...», и, бывало, резюме везешь, везешь, даже в пот ударит; хотел жениться — и не женился; хотел всегда жить в городе — и вот кончаю свою жизнь в деревне, и все.

Д о р н. Хотел стать действительным статским советником — и стал.

С о р и н *(смеется)*. К этому я не стремился. Это вышло само собою.

Д о р н. Выражать недовольство жизнью в шестьдесят два года, согласитесь, — это не великодушно.

С о р и н. Какой упрямец. Поймите, жить хочется!

Д о р н. Это легкомыслие. По законам природы всякая жизнь должна иметь конец.

С о р и н. Вы рассуждаете, как сытый человек. Вы сыты и потому равнодушны к жизни, вам все равно. Но умирать и вам будет страшно.

Д о р н. Страх смерти — животный страх... Надо подавлять его. Сознательно боятся смерти только верующие в вечную жизнь, которым страшно бывает своих грехов. А вы, во-первых, неверующий, во-вторых — какие у вас грехи? Вы двадцать пять лет прослужили по судебному ведомству — только всего.

С о р и н *(смеется)*. Двадцать восемь...

Входит Т р е п л е в и садится на скамеечке у ног Сорина. Маша все время не отрывает от него глаз.

Д о р н. Мы мешаем Константину Гавриловичу работать.

Т р е п л е в. Нет, ничего.

Пауза.

М е д в е д е н к о. Позвольте вас спросить, доктор, какой город за границей вам больше понравился?

Д о р н. Генуя.

Т р е п л е в. Почему Генуя?

Д о р н. Там превосходная уличная толпа. Когда вечером выходишь из отеля, то вся улица бывает запружена народом. Движешься потом в толпе без всякой цели, туда-сюда, по ломаной линии, живешь с нею вместе, сливаешься с нею психически и начинаешь верить, что в самом деле возможна одна мировая душа, вроде той, которую когда-то в вашей пьесе играла Нина Заречная. Кстати, где теперь Заречная? Где она и как?

Т р е п л е в. Должно быть, здорова.

Д о р н. Мне говорили, будто она повела какую-то особенную жизнь. В чем дело?

Т р е п л е в. Это, доктор, длинная история.

Д о р н. А вы покороче.

Пауза.

Т р е п л е в. Она убежала из дому и сошлась с Тригориным. Это вам известно?

Д о р н. Знаю.

Т р е п л е в. Был у нее ребенок. Ребенок умер. Тригорин разлюбил ее и вернулся к своим прежним привязанностям, как и следовало ожидать. Впрочем, он никогда не покидал прежних, а, по бесхарактерности, как-то ухитрился и тут и там.

Насколько я мог понять из того, что мне известно, личная жизнь Нины не удалась совершенно.

Дорн. А сцена?

Треплев. Кажется, еще хуже. Дебютировала она под Москвой в дачном театре, потом уехала в провинцию. Тогда я не упускал ее из виду и некоторое время куда она, туда и я. Бралась она все за большие роли, но играла грубо, безвкусно, с завываниями, с резкими жестами. Бывали моменты, когда она талантливо вскрикивала, талантливо умирала, но это были только моменты.

Дорн. Значит, все-таки есть талант?

Треплев. Понять было трудно. Должно быть, есть. Я ее видел, но она не хотела меня видеть, и прислуга не пускала меня к ней в номер. Я понимал ее настроение и не настаивал на свидании.

Пауза.

Что же вам еще сказать? Потом я, когда уже вернулся домой, получал от нее письма. Письма умные, теплые, интересные; она не жаловалась, но я чувствовал, что она глубоко несчастна; что ни строчка, то больной, натянутый нерв. И воображение немного расстроено. Она подписывалась Чайкой. В «Русалке» мельник говорит, что он ворон, так она в письмах все повторяла, что она чайка. Теперь она здесь.

Дорн. То есть как здесь?

Треплев. В городе, на постоялом дворе. Уже дней пять как живет там в номере. Я было поехал к ней, и вот Марья Ильинишна ездила, но она никого не принимает. Семен Семенович уверяет, будто вчера после обеда видел ее в поле, в двух верстах отсюда.

Медведенко. Да, я видел. Шла в ту сторону, к городу. Я поклонился, спросил, отчего не идет к нам в гости. Она сказала, что придет.

Треплев. Не придет она.

Пауза.

Отец и мачеха не хотят ее знать. Везде расставили сторожей, чтобы даже близко не допускать ее к усадьбе. *(Отходит с доктором к письменному столу.)* Как легко, доктор, быть философом на бумаге и как это трудно на деле!

Сорин. Прелестная была девушка.

Дорн. Что-с?

Сорин. Прелестная, говорю, была девушка. Действительный статский советник Сорин был даже в нее влюблен некоторое время.

Дорн. Старый ловелас.

Слышен смех Шамраева.

Полина Андреевна. Кажется, наши приехали со станции...

Треплев. Да, я слышу маму.

Входят Аркадина, Тригорин, за ними Шамраев.

Шамраев *(входя)*. Мы все стареем, выветриваемся под влиянием стихий, а вы, многоуважаемая, все еще молоды... Светлая кофточка, живость... грация...

Аркадина. Вы опять хотите сглазить меня, скучный человек!

Тригорин *(Сорину)*. Здравствуйте, Петр Николаевич! Что это вы всё хвораете? Нехорошо! *(Увидев Машу, радостно.)* Марья Ильинична!

Маша. Узнали? *(Жмет ему руку.)*

Тригорин. Замужем?

Маша. Давно.

Тригорин. Счастливы? *(Раскланивается с Дорном и с Медведенком, потом нерешительно подходит к Треплеву.)* Ирина Николаевна говорила, что вы уже забыли старое и перестали гневаться.

Треплев протягивает ему руку.

Аркадина *(сыну)*. Вот Борис Алексеевич привез журнал с твоим новым рассказом.

Треплев *(принимая книгу, Тригорину)*. Благодарю вас. Вы очень любезны.

Садятся.

Тригорин. Вам шлют поклон ваши почитатели... В Петербурге и в Москве вообще заинтересованы вами, и меня всё спрашивают про вас. Спрашивают: какой он, сколько лет, брюнет или блондин. Думают все почему-то, что вы уже немолоды. И никто не знает вашей настоящей фамилии, так как вы печатаетесь под псевдонимом. Вы таинственны, как Железная Маска.

Треплев. Надолго к нам?

Тригорин. Нет, завтра же думаю в Москву. Надо. Тороплюсь кончить повесть, и затем еще обещал дать что-нибудь в сборник. Одним словом — старая история.

Пока они разговаривают, Аркадина и Полина Андреевна ставят среди комнаты ломберный стол и раскрывают его; Шамраев зажигает свечи, ставит стулья. Достают из шкафа лото.

Погода встретила меня неласково. Ветер жестокий. Завтра утром, если утихнет, отправлюсь на озеро удить рыбу. Кстати, надо осмотреть сад и то место, где — помните? — играли вашу пьесу.

У меня созрел мотив, надо только возобновить в памяти место действия.

Маша *(отцу)*. Папа, позволь мужу взять лошадь! Ему нужно домой.

Шамраев *(дразнит)*. Лошадь... домой... *(Строго.)* Сама видела: сейчас посылали на станцию. Не гонять же опять.

Маша. Но ведь есть другие лошади... *(Видя, что отец молчит, машет рукой.)* С вами связываться...

Медведенко. Я, Маша, пешком пойду. Право...

Полина Андреевна *(вздохнув)*. Пешком, в такую погоду... *(Садится за ломберный стол.)* Пожалуйте, господа.

Медведенко. Ведь всего только шесть верст... Прощай... *(Целует жене руку.)* Прощайте, мамаша.

Теща нехотя протягивает ему для поцелуя руку.

Я бы никого не беспокоил, но ребеночек... *(Кланяется всем.)* Прощайте... *(Уходит; походка виноватая.)*

Шамраев. Небось дойдет. Не генерал.

Полина Андреевна *(стучит по столу)*. Пожалуйте, господа. Не будем терять времени, а то скоро ужинать позовут.

Шамраев, Маша и Дорн садятся за стол.

Аркадина *(Тригорину)*. Когда наступают длинные осенние вечера, здесь играют в лото. Вот взгляните: старинное лото, в которое еще играла с нами покойная мать, когда мы были детьми. Не хотите ли до ужина сыграть с нами партию? *(Садится с Тригориным за стол.)* Игра скучная, но если привыкнуть к ней, то ничего. *(Сдает всем по три карты.)*

Треплев *(перелистывая журнал)*. Свою повесть прочел, а моей даже не разрезал. *(Кладет журнал на письменный стол, потом направляется к левой двери; проходя мимо матери, целует ее в голову.)*

Аркадина. А ты, Костя?

Треплев. Прости, что-то не хочется... Я пройдусь. *(Уходит.)*

Аркадина. Ставка — гривенник. Поставьте за меня, доктор.

Дорн. Слушаю-с.

Маша. Все поставили? Я начинаю... Двадцать два!

Аркадина. Есть.

Маша. Три!..

Дорн. Так-с.

Маша. Поставили три? Восемь! Восемьдесят один! Десять!

Шамраев. Не спеши.

Аркадина. Как меня в Харькове принимали, батюшки мои, до сих пор голова кружится!

Маша. Тридцать четыре!

За сценой играют меланхолический вальс.

Аркадина. Студенты овацию устроили... Три корзины, два венка и вот... *(Снимает с груди брошь и бросает на стол.)*

Шамраев. Да, это вещь...

Маша. Пятьдесят!..

Дорн. Ровно пятьдесят?

Аркадина. На мне был удивительный туалет... Что-что, а уж одеться я не дура.

Полина Андреевна. Костя играет. Тоскует бедный.

Антон Павлович
ЧЕХОВ
1860 – 1904

Антон
ЧЕХОВ

Чайка

Санкт-Петербург
2010

УДК 882
ББК 84(2Рос-Рус)1
Ч 56

Оформление обложки Валерия Гореликова

Чехов А. П.

Ч 56 Чайка: Пьесы. — СПб.: Азбука, Азбука-Аттикус, 2010. — 288 с.

ISBN 978-5-389-01230-1

Чехов-драматург был и остается известен много больше Чехова-прозаика. По числу постановок, инсценировок, интерпретаций и экранизаций автор «Чайки» не уступает ни одному из общепризнанных классиков драматургии. А текст «Чайки» остается больше и глубже любой из ее интерпретаций.

УДК 882
ББК 84(2Рос-Рус)1

ISBN 978-5-389-01230-1

ДРАМА ЧЕХОВА:
«я напишу что-нибудь странное...»

1. ПУТЬ

Снег опять пошел, повалил,
и с присущим бархатным тактом
этот занавес разделил
предпоследний с последним актом.

Я судьбе совершенно покорен,
но, смотря на валящий снег,
я хочу, чтобы был спокоен
этот акт; спокойнее всех.

Слишком в «Гамлете» режут и колют,
мне приятней куда «Три сестры»,
где все просто встают и уходят,
и выходят навек из игры.

Б. Слуцкий

Проза и драма: кто кого?

Чехов-драматург известен много больше Чехова-прозаика. Бывает, в Москве, Петербурге или апрельской Ялте плачут сестры или продают вишневый сад несколько раз в неделю. На родине Шекспира его называют почетным англичанином. На Дальнем Востоке — настоящим японцем, конечно же, за цветущие вишни, так похожие на сакуру. По числу постановок, инсценировок, интерпретаций и экранизаций автор «Чайки», наверное, не уступает в двадцатом веке автору «Гамлета».

С другой стороны, уже современники Чехова в восприятии его пьес разделились на два лагеря. Фанатические поклонники постановок Художественного театра, ставшего уже в начале века Домом Чехова (как Малый театр был Домом Островского), наталкивались на вежливое равнодушие или откровенную неприязнь часто очень близких и весьма расположенных к Чехову-прозаику людей.

«Чехов — несомненный талант, но пьесы его плохие. В них не решаются вопросы, нет содержания», — не раз повторял в беседах Л. Толстой[1]. Самому автору он немного подслащивал горькую пилюлю: «Вы знаете, я терпеть не могу Шекспира, но ваши пьесы еще хуже»[2]. Все-таки несколько приятнее быть хуже Шекспира, а не какого-нибудь драмодела 1890-х годов.

И. Бунин, составлявший длинный список любимых чеховских рассказов, с удовольствием пересказывал толстовские суждения, потому что сам думал сходно. Чехов-прозаик и Чехов-драматург находились для него в разных измерениях: «Пьесы его далеко не лучшее из написанного им...»[3] Бунин считал, что славу чеховским пьесам принесла лишь их постановка в Художественном театре.

Драматургия — искусство особое. В старых поэтиках (от Аристотеля до Гегеля с Белинским) драма объявлялась вершиной словесного искусства. «Драматическая поэзия есть высшая ступень развития поэзии и венец искусства...»[4]

«У них там считается за искусство только театральная пьеса. Роман, даже новелла — не более чем мазня, — обижался на энтузиастов драматургии через четыре года после смерти Чехова Томас Манн, знаменитый (в будущем) немецкий романист. — Некий театральный критик однажды заявил в статье, что если взять повествовательную фразу: „Розалия встала, расправила платье и сказала: «Прощай!»“ — то, строго го-

---

1 Литературное наследство. Т. 90. Кн. 1. М., 1979. С. 472.

2 Л. Н. Толстой в воспоминаниях современников: В 2 т. Т. 1. М., 1960. С. 534.

3 *Бунин И. А.* Собрание сочинений: В 6 т. Т. 6. М., 1988. С. 197.

4 *Белинский В. Г.* Собрание сочинений: В 9 т. Т. 3. М., 1978. С. 341.

воря, искусством здесь следует считать только слово „прощай“. Он повторил: „Строго говоря“»[1]. «Утверждение относительно Розалии и ее возгласа „Прощай!“ есть величайшая нелепость, когда-либо напечатанная черным по белому», — комментировал Манн, кажется никогда не сочинявший пьес[2].

В двадцатом веке многое изменилось. С появлением и утверждением режиссерского театра драма как текст во многом потеряла свое значение. Драматург живет, пока его играют на сцене. Драма умирает в спектакле. Читают же (если читают вообще) главным образом романы и новеллы.

И только немногие драматурги — наверное, они и называются классиками — оказываются двуликими янусами, кентаврами. Их пьесы необходимо не только видеть на сцене, но — читать. В этом случае обнаруживается, что драма — не сценический полуфабрикат (театральные критики шутят, что современный режиссер может поставить даже телефонную книгу), а полноценный литературный род, «высшая ступень развития поэзии».

Текст «Чайки» больше и глубже любой из ее интерпретаций.

Первая драма: что и как?

Чехов-писатель начинается как раз с драматургии. Еще в гимназии он берется сочинять большую идейную драму о русском Гамлете, Михаиле Васильевиче Платонове, который мечтал о карьере Байрона или Христофора Колумба, но даже не окончил университет, стал сельским учителем, надорвался, запутался в своих отношениях с женщинами и в конце концов погиб от руки одной из четырех влюбленных в него дам.

---

[1] *Манн Т.* Собрание сочинений: В 10 т. Т. 9. М., 1960. С. 380.
[2] Там же. С. 389.

В пьесе было двадцать названных по имени персонажей плюс гости и прислуга в массовых сценах. Она опиралась на целую библиотеку прочитанных книг. Герои собирались ставить «Гамлета», цитировали Пушкина, Тургенева и Некрасова, вспоминали об Илье Муромце и царе Эдипе. Текст с трудом поместился в одиннадцать самодельных тетрадей — объем в три раза больший, чем у обычной, «нормальной» драмы.

В Москве, во время учебы в университете, пьеса была дописана и показана знаменитой актрисе Малого театра М. Н. Ермоловой (1853—1928). Предложение не было принято: в драме не было подходящей для Ермоловой героической роли. Но, даже если бы она нашлась, пьеса вряд ли была бы поставлена: слишком непохожа она оказалась на привычную театральную продукцию начала 1880-х годов. Так начинается конфликт Чехова с современным театром, который затянется на десятилетия.

Пьеса осталась в чеховском архиве. Она была обнаружена и опубликована только через сорок лет (1923). Первая страница рукописи утеряна, так что никто в мире не знает ее точного заглавия. Ее называют то «Безотцовщиной» (по заголовку, случайно сохранившемуся в письме старшего брата), то «Платоновым» (по имени главного героя), то просто пьесой без названия. Переводчики и режиссеры придумывают свои варианты: «Этот безумец Платонов», «Дикий мед», «Дон Жуан на русский манер», «Неоконченная пьеса для механического пианино».

С драмой на какое-то время было покончено. Чехов начинает сочинять прозу *Антоши Чехонте.* И первые его театральные успехи связаны с пьесами в том же духе.

Странные водевили: хлоп и тру-ла-ла

«Да, водевиль есть вещь, а прочее все гиль», — заявляет грибоедовский Репетилов. Водевиль, «легкая пьеса с занимательной интригой, с песенками-куплетами и танцами»[1], был любимым зрелищем непритязательных театралов. В театре он обычно шел каждый вечер как дополнение к большой драме.

Чеховские одноактные комедии возникают в конце 1880-х годов как бы непроизвольно, случайно. «Вы спрашиваете в письме, что я пишу. После „Степи“ я почти ничего не делал, — сообщает Чехов Я. П. Полонскому 22 февраля 1888 года. — От нечего делать написал пустенький, французистый водевильчик под названием „Медведь“... Ах, если в „Северном вестнике“ (в этом журнале печаталась серьезная «Степь». — *И. С.*) узнают, что я пишу водевили, то меня предадут анафеме. Но что делать, если руки чешутся и хочется учинить какое-нибудь тру-ла-ла!»[2]

Чеховские «тру-ла-ла» непохожи на привычные водевильные образцы. В них нет куплетов и танцев (хотя в современных постановках они иногда органично включаются в спектакль). Водевильные маски героя-любовника, тоскующей вдовы, молодой девушки на выданье дополняются бытовыми деталями, перерастают в характеры. Но при этом сохраняются словесные каламбуры, нелепые фамилии, динамика живого, упругого, как пружина, действия, которое все время балансирует на грани вероятного и невероятного.

«Свадьба» — в большей степени водевиль разговоров, напоминающий некоторые сцены «Платонова». Нелепые рассказы, замечательно придуманные афоризмы («Дайте мне атмосферы», «Позвольте вам выйти вон», «С кашей съем») создают образ самодовольной, воинствующей, торжествующей пошлости. Глотком свежего воздуха выглядят в этой атмосфере зычные ко-

---

[1] Литературный энциклопедический словарь. М., 1987. С. 66.

[2] *Чехов А. П.* Полное собрание сочинений и писем: В 30 т. Письма. Т. 2. М., 1975. С. 206. Далее ссылки на это издание даются в тексте с указанием тома и страницы, письма обозначаются — П.

манды приглашенного «генерала» Ревунова-Караулова (фамилия-подсказка), в которых — воспоминания о морской службе, о молодости, о счастье.

Его последние слова: «Где дверь? В какую сторону идти? Человек, выведи меня! Человек!.. Какая низость! Какая гадость!» — приобретают символический характер. Но оскорбления, низости и гадости никто не замечает: ревет музыка, кокетничают Змеюкина и Ять, старается перекричать всех гостей шафер. «Ну стоит ли говорить о таких пустяках? Велика важность! Тут все радуются, а вы черт знает о чем...» — говорит Нюнин не только об украденных двадцати пяти рублях, но и обо всем, что произошло только что.

В «Медведе» и «Предложении» Чехов дает (создает) своим героям иную атмосферу. В основе этих водевилей — ситуации-перевертыши. Смирнов приезжает получать долги, возмущается, ругается, стреляется, но в итоге смертельно влюбляется в красивую вдову. Ломов приезжает делать предложение, но насмерть ссорится со своей избранницей то по поводу размежевания, то по поводу собачьих достоинств.

Но кончается все по-водевильному счастливо: соединением влюбленных, свадьбой в перспективе.

«Чубуков. Ну, начинается семейное счастье!.. *(Стараясь перекричать.)* Шампанского! Шампанского!» («Предложение»).

«Шафер *(стараясь перекричать)*. Милостивые государи и милостивые государыни! В сегодняшний, так сказать, день...» («Свадьба»).

Совпадение финалов напоминает об опасностях, ожидающих впереди милых и симпатичных чеховских персонажей.

Чехов, как мы видели, насмешливо относился к своим водевилям (как и вообще критически отзывался о большинстве своих произведений). Но тем не менее постоянно обращался к этому жанру. Даже после «Вишневого сада» он собирался сочинить «водевиль хороший». Философия водевиля (все в конце концов будет хорошо) позволяла ненадолго, на миг позабыть обступающие «серьезных» чеховских героев мучительные вопросы. Но такой миг — непродолжителен.

В чеховских планах водевиль становился жанром, уже совершенно не похожим на обязательную свадьбу в финале или в перспективе. Т. Л. Щепкина-Куперник вспоминала: «Помню — раз как-то мы возвращались в усадьбу после долгой прогулки. Нас застиг дождь, и мы пережидали его в пустой риге. Чехов, держа мокрый зонтик, сказал:

— Вот бы надо написать такой водевиль: пережидают двое дождь в пустой риге, шутят, смеются, сушат зонты, в любви объясняются — потом дождь проходит, солнце — и вдруг он умирает от разрыва сердца!

— Бог с вами! — изумилась я. — Какой же это будет водевиль?

— А зато жизненно. Разве так не бывает? Вот шутим, смеемся и вдруг — хлоп! Конец!

Конечно, он этого „водевиля“ не написал»[1].

Персонажи ненаписанных водевилей попадали, однако, в большие чеховские драмы, превращаясь там в фигуры драматические (Телегин в «Дяде Ване», Епиходов и Шарлотта в «Вишневом саде»). Водевиль — это драма, в которой конфликт благополучно разрешается. Водевильные герои в чеховских пьесах — это люди с неразрешимой судьбой. Только у Чехова «комедия» может кончиться смертью или самоубийством. «Разве так не бывает?»

Русский Гамлет: два Иванова

«Иванова» Чехов писал дважды. Первая редакция (1887) была «комедией в четырех действиях», вторая —

[1] А. П. Чехов в воспоминаниях современников. М., 1986. С. 244.

превратилась в «драму». Различие в судьбе главного героя оказалось в том, что Иванов-комедийный внезапно умирал от нанесенного ему оскорбления, а Иванов-драматический стреляет в себя.

Герой с самой распространенной русской фамилией — несомненный родственник Платонова, новый, более совершенный вариант «Гамлета на русский манер». Совсем недавно он был полон сил, много работал, боролся за справедливость, влюблялся, шел против течения жизни. И вдруг что-то произошло. «Вероятно, я страшно виноват, но мысли мои перепутались, душа скована какою-то ленью, и я не в силах понимать себя. Не понимаю ни людей, ни себя...» Даже страдания умирающей жены оставляют Иванова равнодушным.

Герой не любуется своим разочарованием и усталостью, а боится, пугается его. «Я умираю от стыда при мысли, что я, здоровый, сильный человек, обратился не то в Гамлета, не то в Манфреда, не то в лишние люди... сам черт не разберет! Есть жалкие люди, которым льстит, когда их называют Гамлетами или лишними, но для меня это — позор! Это возмущает мою гордость, стыд гнетет меня, и я страдаю...»

Различие между Ивановым и окружающими его людьми заключается в том, что те, другие, *все понимают*.

Каждый из персонажей драмы словно сочиняет свою пьесу: играет какую-то роль и надевает на Иванова простую, понятную маску. Суетливый бездельник и прожектер Боркин видит в нем ловкого пройдоху, прямолинейный фанатик Львов — лицемерного мерзавца, «идейная девушка» Саша — временно уставшего «нового человека». «Черный ящик» для себя, герой вроде бы абсолютно прозрачен и понятен для других.

Исходя из своих ролей и сложившихся представлений, люди мучают друг друга, не умея и не желая понять, что же происходит с Ивановым на самом деле.

Проблема всеобщего непонимания, некоммуникабельности — одна из главных, ключевых для Чехова.

Еще в 1883 году, в письме старшему брату, Чехов говорил о «скверной, подлой болезни»: «Люди одного лагеря не хотят понять друг друга» (П 1, 58).

«Вы, Жорж, образованны и умны и, кажется, должны понимать, что мир погибнет не от разбойников и не от воров, а от скрытой ненависти, от вражды между хорошими людьми, от всех этих мелких дрязг, которых не видят люди, называющие наш дом гнездом интеллигенции», — скажет героиня комедии «Леший», позднее превратившейся в «Дядю Ваню».

Практически каждому герою «Иванова» дано мгновение, момент истины, когда привычная маска вдруг спадает и за ней появляется искаженное страданием человеческое лицо. Граф Шабельский мечтает поехать на могилу жены, Бабакина жалуется на свое одиночество, Саша осознает, что взятая на себя роль спасительницы Иванова фальшива и невыполнима. Ее всем угождающий отец произносит: «Замучили!» Но потом нелепая пьеса, комедия жизни, катится дальше.

И лишь Иванов живет с ощущением постоянного неблагополучия. Все его поступки, даже самые жестокие (ссора с женой в конце третьего действия, когда звучат страшные в своей правдивости слова: «Так знай же, что ты... скоро умрешь...»), вызваны этим душевным надрывом, мучительным непониманием, болезнью воли.

В письме-комментарии к «Иванову» Чехов пытался описать эту скверную болезнь на языке психологии и физиологии, перечисляя ивановских врагов: утомление, скука, неопределенное чувство вины, одиночество. «Теперь пятый враг. Иванов утомлен, не понимает себя, но жизни нет до этого никакого дела. Она предъявляет к нему свои законные требования, и он, хочешь не хочешь, должен решать вопросы... Такие люди, как Иванов, не решают вопросов, а падают под их тяжестью» (П 3, 111).

Единственное, на что хватает воли героя, — осознать безвыходность своего положения и поставить «точку пули» в конце. «Куда там пойдем? Постой, я сейчас все это кончу! Проснулась во мне молодость, заговорил прежний Иванов!.. Долго катил вниз по наклону, теперь стой! Пора и честь знать!.. Оставьте меня! *(Отбегает в сторону и застреливается.)*».

Начиная с первой пьесы Чехов любит повторяющиеся детали, лейтмотивы. В первой же ремарке, только появляясь на сцене, Боркин прицеливается в лицо Иванова. Это была репетиция финального выстрела.

После «Иванова» Чехов сочиняет еще несколько водевилей, комедию «Леший», но следующей важной, принципиальной для него пьесой станет еще одна комедия с самоубийством — «Чайка».

Странная комедия: верую — не верую

«Можете себе представить, пишу пьесу, — сообщает Чехов Суворину 21 октября 1895 года. — Пишу ее не без удовольствия, хотя страшно вру против условий сцены. Комедия, три женских роли, шесть мужских, четыре акта, пейзаж (вид на озеро); много разговоров о литературе, мало действия, пять пудов любви» (П 6, 85).

«Формула» собственной пьесы выведена изящно и точно. На фоне «колдовского озера» с восходящей луной ставится и проваливается пьеса Треплева. На другом берегу живет Нина. Тригорин ловит в нем рыбу. Над ним летала убитая чайка. В четвертом действии по озеру ходят громадные волны и стоит на берегу «голый, безобразный как скелет» театр, в котором плачет вернувшаяся на руины Чайка—Заречная.

«Озеро» в «Чайке» — важный художественный символ, связывающий и проявляющий судьбы героев. Сходную функцию будет выполнять «сад» в «Вишневом саде».

«Пять пудов любви» в чеховской комедии — это любовь драматическая, безответная, несчастливая. Треплев любит Нину, Нина — Тригорина, Маша — Треплева, Медведенко — Машу, Полина Андреевна — Дорна, Аркадина — Тригорина. Маша мечтает «вырвать любовь из своего сердца». Тригорин легко забывает о брошенной Нине Заречной. Дорн говорит Полине Андреевне «поздно». Сеть безнадежностей опутывает героев. Вполне довольна и счастлива только самодовольная Аркадина, которая любит себя в искусстве и играет со «знаменитым беллетристом» в жизни хорошо затверженную роль.

Треплев и Тригорин оказываются в чеховской комедии соперниками не только в любви, но и в искусстве. «Разговоры о литературе» превращаются в отдельных сценах «Чайки» в своеобразный эстетический трактат о разных типах художников.

Тригорин — рационалист, подчиняющийся требованиям долга: «День и ночь одолевает меня одна неотвязчивая мысль: я должен писать, я должен писать, я должен...» Он жалуется на постоянную тяжесть литературной работы («чугунное ядро» сюжета), занят изнурительной, беспрерывной наблюдательностью («ловлю себя и вас на каждой фразе, на каждом слове и спешу скорее запереть все эти фразы и слова в свою литературную кладовую: авось пригодится!»).

Треплев, напротив, творит по вдохновению («Вы презираете мое вдохновение...» — говорит он Нине после провала пьесы). Он считает, что настоящее искусство возникает, когда «человек пишет, не думая ни о каких формах пишет, потому что это свободно льется из его души». Треплев — поэт, хотя сочиняет рассказы и пьесы.

По характеру творческого процесса Треплев и Тригорин — чеховские Моцарт и Сальери, перенесенные в иную эпоху и заставляющие вспомнить не о реальных композиторах, а о пушкинской маленькой трагедии.

С точки зрения поэтики Тригорин представлен в «Чайке» художником-импрессионистом, мастером точной детали (горлышко бутылки на плотине; облако, похожее на рояль) и «сюжетов для небольшого рассказа».

Треплев же проделывает в пьесе примечательную эволюцию. Пьеса о «мировой душе» напоминает (что не раз отмечалось литературоведами) старые романтические драмы и одновременно только зарождающиеся символистские. Штампы его прозы, вроде «афиша на заборе гласила...», обнаруживают в нем рядового беллетриста конца века. Новое же начало, которое он придумывает для рассказа незадолго до самоубийства («Начну с того, как героя разбудил шум дождя...»), неожиданно сближает его поэтику с художественной манерой Тригорина: так вполне мог начинаться сюжет для небольшого рассказа о погубленной девушке-чайке.

Чеховскую эстетическую позицию по отношению к героям-сочинителям можно определить как синтезирующую. И тригоринские, и треплевские приемы используются в его творчестве, становятся конкретными изобразительными аспектами его художественного мира.

Точка принципиального расхождения обнаруживается, однако, в сфере этики. Тригорин использует жизнь как материал для сочинительства, он играет и жертвует чужими судьбами. Реальность, ставшая литературой, исчезает из его памяти. «Не помню... Не помню!» — говорит он не только о заказанном чучеле чайки, но и о судьбе Нины Заречной.

Треплев строит жизнь по законам искусства и платит за свои неудачи и разочарования только собственной судьбой.

Финал четвертого действия строится на любимом чеховском приеме контрапункта — смысловых сопоставлений и противопоставлений. Появляется в комнате Треплева Нина («Я — чайка...»), а человек, сыгравший роковую роль в ее жизни, равнодушно смотрит на чучело чайки («Не помню...»). Но она — вопреки очевидности — все так же любит этого человека, превратившего ее жизнь в сюжет для небольшого и уже забытого рассказа.

Мать спокойно играет в лото, в то время как за стеной звучит тихий выстрел, похожий на звук лопнувшей склянки с эфиром.

«Пусть на сцене все будет так же сложно и так же вместе с тем просто, как в жизни, — говорил Чехов одному из собеседников-журналистов. — Люди обедают, только обедают, а в это время слагается их счастье и разбиваются их жизни...»[1]

Младшее поколение людей искусства оказывается в «Чайке» проигравшим. Не потому, что Треплев и Нина менее талантливы. Просто они меньше приспособлены к жизни: ранимы, неуверенны, простодушны.

Но противопоставление, контраст важны для Чехова и здесь. Треплев повторяет судьбу Иванова. Мучительно ощутив жизненную катастрофу, он видит выход только в смерти. Нина после всех трагедий находит силы жить дальше.

«Я теперь знаю, понимаю, Костя, что в нашем деле — все равно, играем мы на сцене или пишем — главное не слава, не блеск, не то, о чем я мечтала, а уменье терпеть. Умей нести свой крест и веруй. Я верую, и мне не так больно, и когда я думаю о своем призвании, то не боюсь жизни».

На это Треплев печально отвечает: «Вы нашли свою дорогу, вы знаете, куда идете, а я все еще ношусь в хаосе грез и образов, не зная, для чего и кому это нужно. Я не верую и не знаю, в чем мое призвание».

Я верую — я не верую. Речь идет не о религиозной вере, а о какой-то идее, деле, призвании (им может стать и религия), придающем жизни смысл. В чеховской записной книжке различие между героями было подчеркнуто еще более: «Треплев не имеет определенных целей, и это его погубило. Талант его погубил. Он

---

[1] А. П. Чехов о литературе. М., 1955. С. 301.

говорит Нине в финале: „Вы нашли дорогу, вы спасены, а я погиб“».

Люди, переживающие крушение жизненных надежд, становятся героями «Дяди Вани» и «Трех сестер». В унисон со словами Нины Заречной «Умей нести свой крест и веруй» звучит монолог Сони «Я верую горячо, страстно...» и заклинание сестер Прозоровых «Будем жить... Если бы знать...».

Чеховские «драмы настроения» эхом отражаются друг в друге. Главные темы и мотивы чеховской драматургии еще раз проигрываются и проясняются в его последней пьесе.

2. СМЕХ И СЛЕЗЫ В ВИШНЕВОМ САДУ

Когда погребают эпоху,
Надгробный псалом не звучит,
Крапиве, чертополоху
Украсить ее предстоит.
И только могильщики лихо
Работают. Дело не ждет!
И тихо, так, Господи, тихо,
Что слышно, как время идет.

А. Ахматова

Сон происходит в минувшем веке.
Звук этот слышится век назад.
Ходят веселые дровосеки,
рубят,
рубят
вишневый сад.

Ю. Левитанский

Первые оценки: старое и новое

«Вишневый сад» стал чеховским завещанием. За восемь месяцев до приближающейся смерти он пошлет пьесу в МХТ, за полгода — будет присутствовать на ее премьере, за месяц, накануне отъезда в Баденвейлер, — выйдет ее отдельное издание.

Этапы на пути драмы к зрителю и читателю сопровождались привычным разноречием критики, осведомленных и неосведомленных современников. Не останавливаясь на деталях этой полемики, отметим границы первоначального диалога, границы очень широкие и весьма неожиданные.

Чехов — О. Л. Книппер, 27 сентября 1903 года: «...Пьеса кончена... написаны все четыре акта. Я уже переписываю. Люди у меня вышли живые, это правда, но какова сама по себе пьеса, не знаю» (П 11, 257).

Н. К. Гарин-Михайловский — А. И. Иванчину-Писареву, 5 октября 1903 года: «Познакомился и полюбил Чехова. Плох он. И догорает, как самый чудный день осени. Нежные, тонкие, едва уловимые тона. Прекрасный день, ласка, покой, и дремлет в нем море, горы, и вечным кажется это мгновение с чудным узором дали. А завтра... Он знает свое завтра и рад, и удовлетворен, что кончил свою драму „Сад вишневый“»[1].

К. С. Станиславский, сразу после прочтения, не утерпев, 20 октября 1903 года шлет Чехову телеграмму (аналитическое письмо с обоснованием восторгов будет написано через два дня): «Потрясен, не могу опомниться. Нахожусь в небывалом восторге. Считаю пьесу лучшей из всего прекрасного, Вами написанного. Сердечно поздравляю гениального автора. Чувствую, ценю каждое слово»[2].

В это же время с пьесой знакомится Горький. Он пишет К. П. Пятницкому 20—21 октября 1903 года: «Слушал пьесу Чехова — в чтении она не производит впечатления крупной вещи. Нового — ни слова. Все — настроения, идеи, — если можно говорить о них — ли-

---

[1] Литературный архив. Вып. 5. М.; Л., 1960. С. 49—50.

[2] *Станиславский К. С.* Полн. собр. соч.: В 8 т. Т. 7. М., 1960. С. 265.

ца, — все это уже было в его пьесах. Конечно — красиво, и — разумеется — со сцены повеет на публику зеленой тоской. А о чем тоска — не знаю»[1].

И этот жесткий отзыв из частного письма словно подхватывает В. Г. Короленко, рецензируя сборник «Знания», где была напечатана пьеса после смерти Чехова, в августе 1904 года: «„Вишневый сад“ покойного Чехова вызвал уже целую литературу. На этот раз свою тоску он приурочил к старому мотиву — дворянской беспечности и дворянского разорения, и потому впечатление от пьесы значительно слабее, чем от других чеховских драм, не говоря о рассказах... И не странно ли, что теперь, когда целое поколение успело родиться и умереть после катастрофы, разразившейся над тенистыми садами, уютными парками и задумчивыми аллеями, нас вдруг опять приглашают вздыхать о тенях прошлого, когда-то наполнявших это нынешнее запустение... Право, нам нужно экономить наши вздохи»[2].

Сегодня легко говорить об односторонности оценок больших писателей и тонких критиков, бесконечно симпатизировавших Чехову. «Вишневый сад» стал одной из самых репертуарных пьес мировой драматургии. Пьеса признана шедевром, все возможные эпитеты по отношению к ней, кажется, употреблены и не кажутся преувеличенными.

«Классической является та книга, которую некий народ или группа народов на протяжении долгого времени решают читать так, как если бы на ее страницах все было продуманно, неизбежно, глубоко, как космос, и допускало бесчисленные толкования» (Х. Л. Борхес).

Если сто лет счесть *долгим временем*, чеховская драма, безусловно, стала классической. Недостатка в бесчисленных толкованиях она тоже не испытывает. Тем не менее юбилейная публикация статей и заметок в

---

[1] *Горький М.* Полн. собр. соч.: В 30 т. Т. 28. М., 1954. С. 291.
[2] В. Г. Короленко о литературе. М., 1957. С. 376–377.

журнале «Театр» сопровождалась привычной общей шапкой: «Загадки „Вишневого сада“»[1].

Одна из главных загадок чеховской пьесы — особого рода: загадка простоты, общепонятности, очевидности, которая и провоцирует мысль о «старых мотивах».

Герои: типы и исключения

На первый взгляд Чехов написал едва ли не пособие по русской истории конца XIX века. В пьесе есть три лагеря, три социальные группы: безалаберные, разоряющиеся дворяне, прежние хозяева имения и вишневого сада; предприимчивый, деловой купец, покупающий это имение и вырубающий сад, чтобы построить на этом месте доходные дачи; ничего не имеющий «вечный студент» Петя Трофимов, который спорит со старыми и новым владельцами и верит в будущее: «Вся Россия — наш сад».

Именно так понял конфликт пьесы В. Г. Короленко, увидев в ней «старые мотивы».

«Главным героем этой последней драмы, ее центром, вызывающим, пожалуй, и наибольшее сочувствие, является вишневый сад, разросшийся когда-то в затишье крепостного права и обреченный теперь на сруб благодаря неряшливой распущенности, эгоизму и неприспособленности к жизни эпигонов крепостничества»[2].

И через полвека теоретик драматургии В. Волькенштейн, поменяв эстетическую оценку на противоположную (вместо «старого мотива» появилось: «наиболее яркий образец своеобразного построения чеховской драмы»), смысл драмы сформулировал примерно в тех же словах: «Чехов изобразил в „Вишневом саде“ поме-

---

[1] См.: Театр. 1985. № 1. С. 170—187.
[2] В. Г. Короленко о литературе. С. 376.

щичье-дворянское разорение и переход имения в руки купца-предпринимателя»[1].

Суждения такого рода справедливы только в первом приближении. Ибо, отметив лишь более четкую, чем в предшествующих пьесах, расстановку социальных сил (дворяне-помещики — купец-предприниматель — молодое поколение), мы теряем самое главное в специфике чеховских героев и конфликта, оставаясь лишь с «запоздалыми мотивами». Между тем справедливо замечено, что «человек интересует Чехова главным образом не как социальный тип, хотя он изображает людей социально очень точно»[2].

В самом деле, первый парадокс в характеристике персонажей «Вишневого сада» заключается в том, что они не вмещаются в привычные социальные и литературные амплуа, выпадают из них.

Раневская с Гаевым далеко отстоят от тургеневской или толстовской поэзии усадебного быта, но и сатирическая злость, и безнадежность взгляда на героев такого типа, характерные, скажем, для Салтыкова-Щедрина, в пьесе тоже отсутствуют. «Владеть живыми душами — ведь это переродило всех вас, живших раньше и теперь живущих...» — декламирует Трофимов.

Но, боже мой, кем и чем владеют Раневская, тем более вечный младенец Гаев, не способные разобраться даже в собственной душе?

«Я, Ермолай Алексеич, так понимаю: вы богатый человек, будете скоро миллионером. Вот как в смысле обмена веществ нужен хищный зверь, который съедает все, что попадается ему на пути, так и ты нужен», — клеймит тот же Трофимов Лопахина. Но чеховская ли это оценка? Ведь чуть позднее тот же Петя скажет и

---

[1] *Волькенштейн В.* Драматургия. 5-е изд., доп. М., 1969. С. 213.

[2] *Видуэцкая И. П.* Место Чехова в истории русского реализма // Известия АН СССР. Сер. лит. и языка. 1966. Т. XXV, вып. 1. С. 40.

иное: «У тебя тонкие, нежные пальцы, как у артиста, у тебя тонкая, нежная душа...» А в письме Чехов выразится совсем определенно: «Лопахина надо играть не крикуну, не надо, чтобы это непременно был купец. Это мягкий человек» (П 11, 290). Подразумевается: купец не в духе щедринских Колупаевых и Разуваевых, фигура иного плана.

Да и сам Петя Трофимов, «облезлый барин» с его речами о будущем, — как он далек от привычных канонов изображения «нового человека» в любом роде: тургеневском, романистики о «новых людях», горьковском (вроде Нила в «Мещанах»).

Так что внешне в пьесе сталкиваются не социальные типы, а скорее социальные исключения, *живые люди*, как говорил сам Чехов. Индивидуальное в чеховских героях, причуды, капризы характера, кажется, определенно и явно поглощает типическое.

Но — таков второй парадокс «Вишневого сада» — эти герои-исключения в развитии фабулы пьесы разыгрывают предназначенные им историей социальные роли. Н. Я. Берковский заметил о новеллистике Чехова и Мопассана: «Что представляется в ней игрой судьбы, капризом, парадоксом, то при первом же усилии мысли становится для нас созерцанием закона, исполнившегося с избытком... Через эксцентрику мы проталкиваемся к закону и тут узнаем, что она более чем закон, что она закон, подобравший под себя последние исключения»[1].

Так и в «Вишневом саде»: сквозь чудачества и случайности, сквозь паутину слов проступает железный закон социальной необходимости, неслышная поступь истории.

Раневская и Гаев добры, обаятельны и лично невиновны в тех грехах крепостничества, которые приписывает им «вечный студент». И все-таки в кухне людей

---

[1] *Берковский Н. Я.* Литература и театр. М., 1969. С. 56.

кормят горохом, остается умирать в доме «последний из могикан» Фирс, и лакей Яша предстает как омерзительное порождение именно этого быта.

Лопахин — купец с тонкой душой и нежными пальцами. Он рвется, как из смирительной рубашки, из предназначенной ему роли: убеждает, напоминает, уговаривает, дает деньги взаймы. Но, в конце концов, он делает то, что без лишних размышлений и метаний совершали грубые щедринские купцы: становится «топором в руках судьбы», покупает и рубит вишневый сад, «прекраснее которого нет на свете».

Петя Трофимов, который в последнем действии никак не может отыскать старые галоши, похож на древнего философа, рассматривающего звезды над головой, но не заметившего глубокой ямы под ногами. Но именно лысеющий «вечный студент», голодный, бесприютный, полный, однако, «неизъяснимых предчувствий», все-таки увлекает, уводит за собой еще одну невесту, как это было и в последнем чеховском рассказе.

Избегая прямолинейной социальности, Чехов, в конечном счете, подтверждает логику истории. Мир меняется, сад обречен — и ни один добрый купец не способен ничего изменить. На всякого Лопахина найдется свой Дериганов.

Оригинальность характеристики распространяется не только на главных, но и на второстепенных персонажей «Вишневого сада», здесь Чехов тоже совершает литературную революцию.

Персонажи: второстепенные и главные

«Вообще к персонажам первого плана и к персонажам второстепенным, эпизодическим издавна применялись разные методы. В изображении второстепенных лиц писатель обычно традиционнее; он отстает от самого себя», — замечает Л. Я. Гинзбург[1].

Современный прозаик словно продолжает размышления теоретика: «Одних героев автор „лепит"... других „рождает"... как живого человека; одни разрешены „извне", другие — „изнутри"; одни ближе автору, родней, „дороже", другие — дальше, двоюродней... наконец, одни есть, по давно укоренившемуся делению, второстепенные, другие — главные, причем второстепенные — второстепенны не по нагрузке и роли в сюжете, они второстепенны по качеству (в диалектическом понимании), по сравнению с героем „главным". И главный, и второстепенный населяют одно пространство повествования и взаимодействуют как живые люди, то есть, по демократическим идеалам жизни, и тот и другой равноправны. Не равноправны они все по тому же своему происхождению (способу рождения) и по мере нашего, читательского сочувствия, объясняющегося мерой узнавания, выражающегося в олицетворении себя в герое... Что же такое литературный герой в единственном числе — Онегин, Печорин, Обломов, Раскольников, Мышкин?.. Чем он всегда отличен от литературных героев в числе множественном — типажей, характеров, персонажей? В предельном обобщении — родом нашего узнавания. Персонажей мы познаем снаружи, героя — изнутри; в персонаже мы узнаем других, в герое — себя»[2].

Суждения А. Битова точны и глубоки в применении к «дочеховской» традиции. Но кто здесь, в «Вишневом саде», дан «снаружи», а кто «изнутри»? «Снаружи», пожалуй, один лишь Яша. В других случаях художественная «оптика» постоянно меняется. Глубоко прав, на наш взгляд, много ставивший Чехова венгерский режиссер И. Хорваи, сказавший о его «внешне-внутреннем видении»[3].

---

[1] *Гинзбург Л. Я.* О литературном герое. Л., 1979. С. 71.
[2] *Битов А.* Статьи из романа. М., 1986. С. 162–163.
[3] Чеховские чтения в Ялте: Чехов сегодня. М., 1987. С. 36.

Чеховская драма если не отменяет, то необычайно сглаживает границу, существовавшую столетиями, — эстетическую границу между *главным* и *второстепенным* персонажами.

Действительно, об одних персонажах «Вишневого сада» говорится больше, о других — меньше, но разница эта скорее количественная, ибо каждый из них не «персонаж», но — *герой.*

Гоголевский Бобчинский или, скажем, Кудряш Островского не могут оказаться в центре внимания, стать «героями» пьесы, для этого в «Ревизоре» и «Грозе» мало драматического материала. Граница между этими «персонажами» и Хлестаковым, Катериной непреодолима. Напротив, легко представить себе водевиль (но чеховский, далеко не беззаботно смешной!) о Епиходове, сентиментальную драму о Шарлотте, вариацию на тему «все в прошлом», героем которой будет Фирс, «историю любви» (тоже по-чеховски парадоксальную) Вари и Лопахина и т. д. Для таких «пьес в пьесе» (рассуждают же литературоведы о «пьесе Треплева») материала вполне достаточно. Едва ли не каждый персонаж «Вишневого сада» может стать героем, в каждом — при желании — можно узнать себя.

Происходит это потому, что все они, так или иначе, участвуют в основном конфликте драмы. Но смысл этого конфликта иной, более глубокий, чем это казалось современникам.

Конфликт: человек и время

Своеобразие конфликта чеховской драмы глубоко и точно определил в свое время А. П. Скафтымов: «Драматически конфликтные положения у Чехова состоят не в противопоставлении волевой направленности разных сторон, а в объективно вызванных противоречиях, перед которыми индивидуальная воля бессильна...

И каждая пьеса говорит: виноваты не отдельные люди, а всё имеющееся сложение жизни в целом»[1].

Развивая эти идеи, Э. А. Полоцкая и В. Е. Хализев говорят о внутреннем и внешнем действии, внутреннем и внешнем сюжете чеховских рассказов и пьес[2]. Причем необходимо заметить, что и развертываются они по-разному. Если внешний сюжет (в данном случае — борьба вокруг сада и имения) экспонирован достаточно традиционно, фабульным путем, то внутренний — и главный — сюжет «Вишневого сада» именно просвечивает сквозь фабулу, пульсирует, часто вырываясь на поверхность.

Главную роль в его организации играют многочисленные «протекающие темы», лейтмотивы, сопоставления, переклички, образующие прихотливый, но в высшей степени закономерный узор. Не случайно современные литературоведы все чаще пишут не только о повествовательности («пьесы-романы»), но и о лирической, музыкальной структуре чеховских пьес и рассказов.

Действительно, принцип повтора, возвращения так же важен в чеховской драме, как важен он в организации стихотворного текста. Свою постоянную тему имеет едва ли не каждый персонаж. Без конца говорит о своих несчастьях Епиходов, лихорадочно ищет деньги Симеонов-Пищик, трижды упоминает телеграммы из Парижа Раневская, несколько раз обсуждаются отношения Вари и Лопахина, вспоминают детство Гаев и Раневская, Шарлотта и Лопахин. И все о саде, о саде — без конца...

Но главное — герои думают о времени, об уходящей, ускользающей жизни. *Человек в потоке времени* —

---

[1] *Скафтымов А. П.* Нравственные искания русских писателей. М., 1972. С. 426–427.

[2] См.: Развитие реализма в русской литературе: В 3 т. Т. 3. Под ред. У. Р. Фохта. М., 1974. С. 84–92; *Хализев В. Е.* Драма как род литературы. М., 1986. С. 148–161.

так довольно абстрактно, но, кажется, точно можно определить внутренний сюжет «Вишневого сада». В этой пьесе Чехов в последний раз размышляет о том, что делает с человеком время и можно ли как-то противостоять ему, удержаться в нем.

Временными указаниями, ориентирами переполнена пьеса. Вот характерные временные приметы первого действия: на два часа опаздывает поезд; пять лет назад уехала из имения Раневская; о себе, пятнадцатилетнем, вспоминает Лопахин, собираясь в пятом часу ехать в Харьков и вернуться через три недели; он же мечтает о дачнике, который через двадцать лет «размножится до необычайности»; а Фирс вспоминает о далеком прошлом, «лет сорок—пятьдесят назад». И снова Аня вспомнит об отце, который умер шесть лет назад, и маленьком брате, утонувшем через несколько месяцев. А Гаев объявит о себе как о человеке восьмидесятых годов и предложит отметить столетие «многоуважаемого шкапа». И сразу же будет названа роковая дата торгов — двадцать второе августа.

Время разных персонажей имеет разную природу. Оно измеряется минутами, месяцами, годами, то есть имеет разные точки отсчета. Время Фирса почти баснословно, оно все в прошлом и, кажется, не имеет очертаний — «живу давно». Лопахин мыслит сегодняшней точностью часов и минут. Время Трофимова — в будущем, но оно столь же широко и неопределенно, как и прошлое Фирса.

Оказываясь победителями или побежденными во внешнем сюжете, герои чеховской драмы в равной степени останавливаются перед феноменом времени, вдруг — поверх социальных и психологических различий — совпадают в глубинном мироощущении. В самые, казалось бы, неподходящие моменты, посреди бытовых разговоров, случайных реплик и фраз разные герои проборматывают слова о непостижимом феномене жизни. Эти слова — «простые как мычание», в них нет ничего мудреного, никакой особой «философии времени», если подходить к ним с требованиями объективной, драматической логики. Но в них есть другое — глубокая правда лирического состояния, подобная тоже простым пушкинским строчкам:

> Летят за днями дни, и каждый час уносит
> Частичку бытия, а мы с тобой вдвоем
> Предполагаем жить... И глядь — как раз — умрем.

(Какая, кажется, и здесь философия?)

«Да, время идет», — вздохнет в начале первого действия Лопахин, на что Гаев откликнется высокомерно-беспомощным «кого?». Но репликой раньше он сам в сущности говорил о том же: «Когда-то мы с тобой, сестра, спали вот в этой самой комнате, а теперь мне уже пятьдесят один год, как это ни странно...»

Чуть позже старый Фирс скажет о старом способе сушения вишен и в ответ на реплику Раневской: «А где же теперь этот способ?» — тоже вздохнет: «Забыли. Никто не помнит». И кажется, что речь здесь идет не только о вишне, но и о забытом умении жить.

Во втором действии посреди спора о будущем сада Раневская произносит после паузы: «Я все жду чего-то, как будто над нами должен обвалиться дом». И это опять реплика скорее не внешнего, а внутреннего сюжета, продолжение того же общего размышления о времени.

В конце второго действия лихорадочные монологи о будущем декламирует Петя Трофимов.

В третьем действии, даже в высший момент торжества, у Лопахина вдруг вырвется: «О, скорее бы все это прошло, скорее бы изменилась как-нибудь наша нескладная, несчастливая жизнь».

И в четвертом действии он подумает о том же: «Мы друг перед другом нос дерем, а жизнь знай себе проходит». Потом эта мысль мелькнет в голове Симеонова-Пищика: «...Ничего... Всему на этом свете бывает конец...» Потом прозвучат бодрые реплики Трофимова и Ани о новой жизни, прощальные слова Раневской и ключевая, итоговая фраза Фирса: «Жизнь-то прошла, словно и не жил...»

Дружно вспоминая прошлое, апеллируя к будущему, все персонажи «Вишневого сада», кроме удобно устроившегося в этой жизни, постоянно довольного подлеца Яши, уходят, ускользают, не хотят замечать настоящего. И это — главный приговор ему. «О страстях и страданиях персонажей „Вишневого сада“ можно бы сказать, что это пир, устроенный в часы, когда не только чума кончается, но когда и многие из гостей уже неясно догадываются об этом», — тонко заметил Н. Я. Берковский[1].

Жанр: смех и слезы

Последней пьесе Чехов дал жанровый подзаголовок «комедия». Точно так же восемью годами раньше он определил жанр «Чайки». Две другие главные чеховские пьесы определялись автором как «сцены из деревенской жизни» («Дядя Ваня») и просто «драма» («Три сестры»).

Первая чеховская *комедия* оканчивается самоубийством главного героя, Треплева. В «Вишневом саде» никто из героев не погибает, но происходящее тоже далеко от канонов привычной комедии.

«Это не комедия, не фарс, как Вы писали, — это трагедия, какой бы исход к лучшей жизни Вы ни открывали в последнем акте», — убеждал автора К. С. Станиславский[2].

Однако, посмотрев постановку в Московском художественном театре, Чехов все равно не соглашался:

---

[1] *Берковский Н. Я.* Литература и театр. С. 160.

[2] *Станиславский К. С.* Собр. соч. Т. 7. С. 265 (Письмо от 20 октября 1903 г.).

«Почему на афишах и в газетных объявлениях моя пьеса так упорно называется драмой? Немирович и Алексеев (настоящая фамилия Станиславского. – *И. С.*) в моей пьесе видят положитсльно не то, что я написал, и я готов дать какое угодно слово, что оба они ни разу не прочли внимательно моей пьесы» (П 12, с. 81).

Режиссеры, конечно же, внимательно читали пьесу во время работы над спектаклем. Их спор с автором объяснялся тем, что они понимали жанровое определение *комедия* традиционно, а Чехов придавал ему какой-то особый, индивидуальный смысл.

С привычной точки зрения, несмотря на присутствие комических эпизодов (связанных главным образом с Епиходовым и Симеоновым-Пищиком), «Вишневый сад» далек от канонов классической комедии. Он не встает в один ряд с «Горем от ума» и «Ревизором». Гораздо ближе пьеса к жанру драмы в узком смысле слова, строящейся на свободном сочетании комических и драматических, а иногда и трагических эпизодов.

Но история литературы знает, однако, и другие «комедии», далеко выходящие за пределы комического. Это «Комедия» Данте, получившая определение «Божественной», или «Человеческая комедия» Оноре де Бальзака. Чеховское понимание жанра нуждается в специальной расшифровке, объяснении.

Режиссеры, пытающиеся такое объяснение дать, все время наталкивались на принцип антиномии, противоречия.

«В третьем акте на фоне глупого „топотания" — вот это „топотание" нужно услышать — незаметно для людей входит Ужас: „Вишневый сад продан". Танцуют. „Продан". Танцуют. И так до конца. Когда читаешь пьесу, третий акт производит такое же впечатление, как тот звон в ушах больного в вашем рассказе „Тиф". Зуд какой-то. Веселье, в котором слышны звуки смерти. В этом акте что-то метерлинковское, страшное. Сравнил только потому, что бессилен сказать точнее. Вы несравнимы в вашем великом творчестве», — пишет автору В. Мейерхольд 8 мая 1904 года[1].

«Драматургия Чехова. А если все эти настроения, вся эта зализанная матовость медлительных темпов — мнимые. Просто стилизация. Выражение верхнего слоя приемами искусства начала века, любившего замедленность, акварельность, блеклые краски, тихие голоса. Если нет здесь ни элегий, ни рапсодий, а есть чеховская жизнь, чеховская — т. е. прежде всего в своем изображении лишенная красивости, где „осетрина-то с душком" неминуемо.

Если есть в этих пьесах прежде всего энергия, сила крика: „Так жить нельзя!" Если три сестры не плакуче-безвольны, но живут в быстром, стремительном ритме...

Может быть, все дело в том, что поэзия таится, скрытая где-то в глубине, в сути образов, — и она противоположна густопсово-прозаической внешности. И может быть, только в какие-то минуты вдруг этот внутренний слой становится и наружным.

Играть быстро, энергично в среде некрасивой, прозаической. И только в секунды вознестись поэзией, но поэзией не акварельной, а высокой, трагической», — записывает в начале 1950-х годов свои догадки о структуре чеховских пьес Г. Козинцев[2].

Позднее Г. Товстоногов скажет о «стыке трагедийного, комического и обыденного, но... стыке такой резкости и контрастности, о которой мы сейчас, с нашим грузом „чеховских" традиций, даже и вообразить боимся»[3].

В 1980-е годы эстафету словно подхватывает много ставивший Чехова А. Эфрос, определяющий «Вишне-

---

1 Литературное наследство. Т. 68. М., 1960. С. 448.
2 *Козинцев Г.* Собр. соч.: В 5 т. Т. 4. Л., 1984. С. 376—377.
3 *Товстоногов Г.* Круг мыслей. Л., 1972. С. 133.